S0-ARH-721

OXFORD LIBRARY OF SPANISH TEXTS

UNDER THE GENERAL EDITORSHIP OF

AURELIO M. ESPINOSA

PROFESSOR OF ROMANIC LANGUAGES, EMERITUS
STANFORD UNIVERSITY

EL HÉROE

POR

GUSTAVO SÁNCHEZ GALARRAGA

Edited with Introduction, Exercises,
Notes and Vocabulary

By

VIRGIL A. WARREN, Ph.D.
PROFESSOR OF MODERN LANGUAGES,
GEORGETOWN COLLEGE

and

JAMES O. SWAIN, Ph.D.
PROFESSOR OF ROMANCE LANGUAGES,
UNIVERSITY OF TENNESSEE

OXFORD UNIVERSITY PRESS · NEW YORK

1941

Third Printing, 1949

PRINTED IN THE UNITED STATES OF AMERICA

A nuestro querido amigo, el doctor Aurelio Boza Masvidal, profesor de Literatura Italiana de la Universidad de La Habana, caballero de cultura cosmopolita y crítico célebre de literatura.

Preface

The ever increasing interest on the part of American students in the life and culture of Spanish America makes it unnecessary to justify the publication of a literary production from this important part of the Western Hemisphere. Cuba, as well as the larger and older political divisions of Spanish America, has produced a literature of universal appeal. Therefore the editors have chosen this Cuban drama, *El héroe,* as the basis for a school edition. It is hoped that this will help to alleviate a complaint often expressed by the citizens of the *Pearl of the Antilles,* that many English-speaking visitors are familiar only with *ron y rumba* and fail to make an acquaintance with Cuba's cultural contributions.

Even before the historic visit of Benavente to the New World gave a new impetus to the theatre in each country he visited, Havana was a center of dramatic activity. Writers who had followed the productions of Benavente from a distance now felt, however, more of his actuality and are, indeed, still showing his influence. Among Cubans who became personally acquainted with the great author of *Los intereses creados,* Gustavo Sánchez Galarraga, the author of *El héroe,* is one of the most important.

El héroe has been chosen from among his many plays because of its rapidly moving action, its purity of language, its international ideology, and its idealistic philosophy.

Without cutting, tampering, or requiring lengthy notes it serves as an excellent book for classroom reading. A few words about the text may prove helpful.

El héroe

El héroe is a philosophical defense of the *héroe de la paz,* who is as noble, as respectable and as valiant as the *héroe que mata.* This in no wise indicates that the author is a pacifist. Note what Sánchez Galarraga himself says in the original *prefacio:* '*Esta comedia no podía ser una franca exaltación de la guerra... ni podía ser tampoco un himno a la paz... Y así ha resultado algo intermedio entre las dos tendencias: entre la que celebra el heroísmo de la lucha y la que señala un heroísmo posible en la paz... Después de todo, el heroísmo de la paz será el heroísmo definitivo de la vida...*'

Likewise, Don Fermín, the doctor in the play who is the *portavoz* of the author, severely criticizes those who fail to support the Allies either on the battle field or otherwise. He implies that sacrifice can be heroic whether in the trenches or in the home, in time of war or in time of peace. Indifference born of selfishness is more to be criticized than any other one thing. It is interesting to note that of recent years many, like the doctor, find the greatest weakness in idealists to be that of their passivity. Democracy, for example, ought to be aggressive and active rather than just defensive or passive. Idealism, unless coupled with unselfishness, will cease to merit our approbation. Only through sacrifice can it be made active and hence valuable. Interpreted thus, *El héroe* is a work without date or place to limit its message.

This edition has been prepared with intermediate students in mind, but it may be used with profit in advanced classes. Exercises, copious notes, and a complete vocabulary make this text available for use in the second or third term of College Spanish.

The text used is that of the 1920 edition of *El héroe*.

The editors wish to express their gratitude to Dr. Genaro Sánchez, father of the author, to Dr. Gerardo Castellanos G., Dr. Alberto Lamar Schweyer, Dr. Renée Potts, and other distinguished associates of the author who have aided in securing bibliographical material, and to Mrs. Mary Campbell, Assistant Professor of Spanish, Carson-Newman College, for her painstaking work in the preparation of the manuscript.

It is impossible to express adequately the editors' gratitude to Professor Aurelio M. Espinosa, General Editor of the Oxford Library of Spanish Texts, for his constant interest and valuable suggestions in their work.

Virgil A. Warren,
James O. Swain.

January 1, 1941

Gustavo Sánchez Galarraga

Gustavo Sánchez Galarraga, son of José Genaro Sánchez and María Galarraga, was born in Havana, Cuba, February 2, 1892. He attended the Colegio de Belén to the third year of the *bachillerato*. He confessed, when questioned, that he was not a model student and that he attended classes only when there was a *fiesta* in which he was assigned poetry to recite. Later he completed privately his studies for the bachelor's degree with Professor Ramiro Capablanca.

At the age of seventeen he wrote his first poem, which was inspired by a disappointment in love:

> ¿Qué traerán las palomas mensajeras?
> Traerán cartas de amor, diciendo en ellas
> ya no más amistad, no más amor,
> y diciendo con fiereza el corazón:
> ¡ya no más amistad! ¡ya para siempre!

His first printed poetry was to appear in *Hojas nuevas*, a magazine published by Julio Hernández Miyárez, son of the poet of the same name. The two friends set the magazine on a hand printing-press.

Later, Gustavo Sánchez Galarraga prepared each day a poem for *Cuba*, a newspaper published by his father. His first contribution was *El príncipe sin nombre*, praised enthusiastically by Padre Félix G. Olmedo, his professor of literature. Daily, in addition to the poem appearing in *Cuba*, he would compose from four to six others.

In 1915 appeared his first volume of verse, *La fuente matinal*, which met with success, and in which he revealed himself as a musical poet full of emotion. Within a few years there followed numerous additional volumes of verse, all of which were applauded. The development of his lyric talent can be explained partially by the list of his favorite writers, which included Garcilasso de la Vega, Fray Luis de León, Góngora, and Rubén Darío.

Gustavo's devotion to poetry was opposed by his father, who would have preferred to establish his son in a profitable business. He did not, however, yield to his father's wishes and this disagreement is the subject of several poems. Among these, Dr. Genaro Sánchez's favorite is *Versos a mi padre* printed in *Las alamedas románticas*. The final lines of this poem are:

> Tú eres la esfinge grave, burilada en granito,
> y yo, la garza etérea que vuela a lo infinito.
> ¡Perdona, si me aqueja la sed de las escalas!
> ¡Padre mío! ¡Mi padre! ¡Yo sé cuánto te inquieta
> que el fruto de tu sangre te naciera poeta!

Gustavo Sánchez Galarraga's interest was divided between poetry and drama. Already in childhood, he revealed an interest in the theatre. As a boy, he liked to act, dressing himself in rags and wearing a saber for roles of tragedy. His favorite recollection was his performance in *Don Juan Tenorio* in his own neighborhood. In the second part of the drama he appeared on the stage without his mustache, which he had absent-mindedly left on the hilt of his sword. Later he became a producer, traveling from town to town to present his dramatic productions.

The first formal theatrical presentation of one of his works was that of his comedy *La verdad de la vida*, in the Teatro Payret of Havana on February 24, 1912. Two days later, at the Teatro Turín, he presented *La máscara de anoche* and on December 29, 1913, *La vida falsa*.

After the production of several plays, he served as an author of zarzuelas in the company of Ernesto Lecuona. This genre was distasteful to him, and at one time, he did not even wish to include compositions of this type in collections of his *teatro*. These zarzuelas were, however, presented throughout South America and the one entitled *Domingo de piñata* was given in Spain.

During the years 1915–18, he published thirty-five works, including prose, poetry, and drama. His productions of a later period were, however, the ones by which he wished to be remembered, especially by the following volumes: in poetry, *El vaso santo, primeras poesías selectas* (1927), *Las alamedas rómanticas* (1928), and *Anforas grises*; in drama, *Un caso, El garrote, El abandonado, Tierra virgen*, and *El egoísmo de la honra*; in zarzuelas, *María la O, El cafetal, Rosa la china, Julián el gallo*, and *Lola Cruz*.

He read his poetry in *ateneos* in Madrid and Seville, and in Columbia University, the Sorbonne, and in the University of Santiago de Compostela. At Columbia University he was presented by Thomas Walsh, who had translated some of his poems into English.

In his *Historia de la literatura cubana* (1929), Professor Salvador Salazar y Roig of the University of Havana recognizes Galarraga as the most prolific of contemporary Cuban dramatists with a *vocación extraordinaria para el teatro.*

Gustavo Sánchez Galarraga maintained, however, that the theatre is not his true work and that his theatrical compositions have resulted only from his youthful ambition to be an actor. Therefore, in his introduction to his *Teatro,* he requests the reader to show more indulgence with these selected dramas than with his lyrical production.

As he speaks of the frustration of his early avocation, he cites the words of his personal friend, Jacinto Benavente — *Es la vida la losa de los sueños.* He acknowledged the Spanish dramatist as his "*Gran maestro de la escena española.*" Indeed, an examination of various plays, including *La vida falsa, La verdad de la vida,* and *El mundo de los muñecos,* reveals him to be a disciple of Benavente. The influence of his great Spanish contemporary is seen in the dialogue, characters, and handling of the scenery. Like the famous author of *Gente conocida,* Sánchez Galarraga censures unmercifully the vices and errors of the society of which he himself was a member.

Gustavo Sánchez Galarraga died in November 1934.

Bibliography

A. Works of Gustavo Sánchez Galarraga

1. Poetry

La fuente matinal; poesías (La Habana, Imp. de Solana y Cía, 1915).

Lámpara votiva; poema. Poesía premiada en concurso de la Academia nacional de artes y letras, 1914–1915 (La Habana, 1916). Published also in *Anales de la Academia nacional de artes y letras*, tomo XI (1917).

La barca sonora; poesías (La Habana, 1916.)

El jardín de Margarita; poesías (La Habana, Instituto de artes gráficas, 1917.)

Copos de sueño; poesía (La Habana, Instituto de artes gráficas, 1918).

Motivos sentimentales; poesías (La Habana, Instituto de artes gráficas, 1919).

Excelsior; poema premiado por la Academia nacional de artes y letras en el concurso de la comisión nacional de propaganda por la guerra y de auxilio a sus víctimas (La Habana, Est. tip. Mestre y Martinica, 1919).

Glosas del camino; poesías (La Habana, 1920).

Momentos líricos; poesías (La Habana, 1920).

La copa amarga; poesías (La Habana, 1920).

Cromos callejeros; sonetos (La Habana, 1920).

Cancionero de la vida; poesías (La Habana, 1920).

Música triste; poesías (La Habana, 1920).

Recogimiento; poesías (La Habana, 1920).

Flores de agua; poesías (La Habana, 1921).

Tríptico heroico; poemas americanos (La Habana, 1923).

Oblación; canto a la patria. Laureado con la «flor natural» por el Liceo de Cienfuegos, el 20 de mayo de 1922 (La Habana, 1922).

El remanso de las lágrimas; poesías (La Habana, 1922).

Cancionero español; poesías (La Habana, 1923).

Mirra ardiente; canto a España (La Habana, 1923).

Humo azul; poesías (La Habana, 1923).

Tono menor; poesías (La Habana, 1923).

Senderos de luna; poesías (La Habana, 1924).

Canto a la mujer cubana; poema (La Habana, 1924).

Horas grises; poesías.

Huerto cerrado; poesías.

La ciudad maga; poesías a Sevilla (La Habana, 1925).

Palabras dolientes; poesías (La Habana, 1926).

Las espinas del rosal; poesías (La Habana, 1927).

La novia Poesía; rimas olvidadas.

Las alamedas románticas; poesías escogidas (La Habana, 1927).

El vaso santo; primeras poesías selectas (La Habana, La Universal, 1927).

2. Prose

El arte teatral en Cuba; conferencia leída por su autor en el ateneo de la Habana, el 9 de enero de 1916 (La Habana, Instituto de artes gráficas, 1918).

Un poeta crepuscular; conferencia — Luis G.Urbina (La Habana, Instituto de artes gráficas, 1918).

A flor de piel; frases (La Habana, 1920).

Arabescos; artículos y cuentos (La Habana, 1920).

A flor de piel; frases, segunda serie.

Oración ante un bronce; pequeño discurso fúnebre. (La Habana, 1926).

3. Plays

Teatro (La Habana, Instituto de artes gráficas, 1918–27). 10 vol.

TOMO I:

El amigo Cañizares; juguete cómico en un acto.

El hijo de la doncella; juguete cómico en un acto.
La máscara de anoche; juguete cómico en un acto.

TOMO II:

La verdad de la vida; comedia en dos actos.
La vida falsa; comedia en dos actos.
Libertad de corazón; comedia en dos actos.

TOMO III:

El héroe; comedia dramática en tres actos.
El buen camino; comedia en dos actos.
Compuesta y sin novio; entremés.
Conferencia contra el hombre; monólogo.

TOMO IV:

El mundo de los muñecos; comedia en dos actos.
El recluta del amor; cuento lírico en un acto, dividido en tres cuadros. Música de Ernesto Lecuona.
La caravana; zarzuela en un acto, dividido en tres cuadros.
En colaboración con Valeriano Riiz Paros. Música de Ernesto Lecuona y Julián Benlloch.

TOMO V:

La última corrida; monólogo.
Carmen; drama en cuatro actos, inspirado en la novela de Próspero Merimée.
Dos de Mayo; monólogo.

TOMO VI:

El último areito; areito siboney en tres jornadas.
El filibustero; drama romántico en tres actos.
Sangre mambisa, episodio trágico en un acto.

TOMO VII:

La sacrificada; comedia dramática en tres actos.
La princesa buena; poema dramático en un acto.
Lo que traen los Reyes; boceto dramático en un acto.
Los hijos de Herakles; tragedia en tres actos.

TOMO VIII:

José del Carmen; drama de esclavos en tres actos.

La expulsada; novela escéncia en cuatro capítulos.
Un veterano de Baire; monólogo.

TOMO IX:

El garrote; drama en tres actos.
Una conquista de amor; paso de comedia.
La Mariposa del cabaret; historia sentimental en cinco cuadros.

TOMO X:

Un caso; drama en tres actos.
Tierra virgen; comedia en dos actos.
El crimen de dar la vida; drama en tres actos.

B. Books Containing Material about Gustavo Sánchez Galarraga

Lamar Schweyer, Alberto, *Contemporáneos* (La Habana, 1921).

Salazar y Roig, Salvador, *Historia de la literatura cubana* (La Habana, 1929).

Índice

	página
Preface	vii
Gustavo Sánchez Galarraga	xi
Bibliography	xv
Text	3
Ejercicios	97
Notes	111
Vocabulary	133

EL HÉROE

Comedia dramática en tres actos

Premiada por la Sociedad «Teatro Cubano» en el Concurso de la Comisión Nacional de Propaganda por la Guerra y de Auxilio a sus Víctimas y estrenada en el Teatro Margot el 22 de diciembre de 1919.

REPARTO

PERSONAJES	ACTORES
ADELA	MATILDE RODRÍGUEZ
DOÑA JUANA	LIS ABRINES
DOÑA RITA	ENRIQUETA BLANCH
NENA	CARMEN ECHEVARRÍA
ALFREDO	FERNANDO CARMONA
RODOLFO	NICOLÁS RODRÍGUEZ
DON FERMÍN	FERNANDO PORREDÓN
ANTONIO	CELESTINO ECHEVARRÍA

La acción ocurre en la Habana

Época actual

Derecha e izquierda, las del actor

ACTO PRIMERO

Acto Primero

Sala en una casa elegante. Decorado y mobiliario sencillos. Al foro, una puerta que da a un jardín. A la derecha, dos puertas y otras dos a la izquierda. Una mesa al centro, sofá, sillones, sillas, etcétera. Es de mañana.

ESCENA PRIMERA

ADELA *y* DOÑA JUANA

(*Adela está frente a una mesa, colocando flores en una jarra. Doña Juana, de mantilla y con un libro de misa, penetra por el foro.*)

JUANA

¡Buenos días, Adela!

ADELA

¡Oh, doña Juana! ¿Ya está usted aquí?

JUANA

¡Esto parece un invernadero, hija! ¡Cuántas flores! ¡Ave María! (*Se sienta.*)

ADELA

¡Todas son pocas, doña Juana, para festejar el regreso de un héroe! 5

JUANA

¡Pobre hijo mío! ¡Vengo de darle gracias a Dios porque lo devuelve con vida a mis brazos!

ADELA

¡No ha sido poca suerte! ¡Sí, señora!

JUANA

Hay muchas madres que a estas horas no podrán decir lo
5 mismo. ¡Son tantos los que han caído en el campo de batalla!...

ADELA

¡Es que es usted muy buena, doña Juana, y el cielo no le puede a usted hacer mal! Basta saber lo que ha hecho usted conmigo, para comprenderlo.

JUANA

10 ¡Bah! ¡Deja esas cosas ahora!

ADELA

Toda ocasión es buena para mostrarse agradecido. Y yo, besando por donde usted pisa, no le pagaría.

JUANA

¡O te callas o me voy a mi cuarto!

ADELA

¡Pero, señora, si el bien que usted me hizo hay muy
15 pocos que lo hagan en el mundo!... Yo vivía al lado de mi padre, atenidos ambos a un triste sueldo oficial, y mi padre

la conocía a usted, y cuando se moría, al ver que me dejaba en el desamparo, la llamó a usted y le dijo: «¡Doña Juana, por amor de Dios, haga usted algo por mi hija!» Y no cumplió usted a medias el encargo, porque morirse mi pobre padre y traerme usted aquí, a su casa, todo fué uno. 5
¡Le digo a usted que si las cosas de la vida se saben allá, en el otro mundo, aún debe estar mi padre dándole gracias a usted!

JUANA

¡Bah! Para eso estamos en la vida, para ayudarnos los unos a los otros. 10

ADELA

Así debiera ser, doña Juana; pero desgraciadamente ejemplos como el suyo no se ven todos los días.

JUANA

Hay tantos enemigos que nos combaten en el mundo, tantas asechanzas tendidas por la naturaleza y el destino, que si sobre todo eso vamos también nosotros a embestirnos 15
como fieras, no sé qué será entonces de nuestra vida.

ADELA

Su hijo regresa hoy a sus brazos, porque aunque parezca que Dios no mira al mundo, sí mira, y de cuando en cuando le da a cada uno lo suyo. ¡Y cómo vuelve!... ¡Cómo un héroe!... ¡Después de haber luchado, sin que nadie se lo 20
impusiese, por la libertad de los hombres, por la justicia del mundo!

JUANA

Y que nadie le obligó: dices bien. Pero era lo que él decía: «la libertad, madre, no es de una patria ni de una tierra, la libertad es de todos, es del hombre, y hombre soy... ¿Qué más necesito para lanzarme al combate?»

ADELA

5 Era un hijo de usted y había de ser generoso. ¡Hubiese tenido que nacer de otra madre, para pensar de otro modo!

JUANA

¿Otra vez con las lisonjas? ¡Me voy! (*Se levanta, Adela quiere detenerla.*) ¡Qué empalagosa estás, muchacha!

ADELA

¡Pero, oiga usted!

JUANA

10 ¡No oigo nada!

ADELA

¡Si voy a hablarle de otra cosa!

JUANA

¡Vas a hablarme de lo mismo! ¡Adiós, adiós, y sigue poniendo flores en los búcaros! ¡Estás hecha un folletín sentimental! (*Vase por la primera puerta de la derecha.*
15 *Adela queda riendo.*)

ADELA

¡Ja, ja, ja! ¡Qué buena es doña Juana! (*Se dirige a colocar las últimas flores que le quedan. Pausa breve. Alfredo entra por la primera puerta de la izquierda.*)

ESCENA II

ADELA *y* ALFREDO

ALFREDO

¡Buenos días, amor mío!

ADELA

¡Bien has dormido, haragán! 5

ALFREDO

Esta mañana de otoño estaba tan fresquita que las sábanas se me pegaron. ¡Discúlpame, Adela! ¿Y mamá? ¿También se ha levantado?

ADELA

Ya lo creo. Muy temprano salió a misa. A dar gracias a Dios. 10

ALFREDO

Todas las oraciones serían pensando en mi hermano, y ni una sola la diría por mí, que soy tan hijo suyo como el otro.

ADELA

¿Pero vas tú a compararte con tu hermano? ¡Hubieras hecho lo que él y entonces veríamos!... ¿No sabes que mientras tú te levantabas a la hora de hoy, durante muchas mañanas como ésta de otoño, él, allá, lejos, muy lejos, 5 presentaba el corazón a las balas? ¿Y por qué? ¡Por ideal, por heroísmo, por humanidad!...

ALFREDO

Adela: me hiere lo que estás diciendo. No parece sino que has tomado en serio mis palabras. Yo sé bien que no puedo compararme con mi hermano, ni soy capaz tampoco de 10 sentir celos de él, y, menos que nunca, ahora, que vuelve, hecho un héroe, al calor de su casa y al cariño de los suyos.

ADELA

Tú eres el que has tomado el rábano por las hojas. ¿Cómo puedes creer que en mis palabras quepa un reproche para ti? ¡Imposible! Dije lo que dije sin pensar, sin detenerme a 15 considerarlo... ¡No hagas caso, bobo!

ALFREDO

Porque hablaste sin pensar me preocupó lo que dijiste. Lo verdadero del alma es lo que se dice sin pensar. Y yo te quiero demasiado, Adela, para que debas tú herirme con tus palabras.

ADELA

20 ¡Como yo te quiero a ti, loco! Si no te quisiera, ¿crees que hubiese correspondido a tu cariño? ¡Yo no sé engañar ni mentir, Alfredo!

ALFREDO

Así quiero que me hables, Adela. Diciéndome esas cosas que me llegan tan a lo hondo, y sin dudar de mi cariño por mi hermano. ¡Pobre hermano mío!

ADELA

Haces bien en quererle. Él también te quiere mucho. Cuando hace dos años tu madre me trajo a su casa, tú, entonces, aún no estabas en ella, aún estabas en Filadelfia, acabando tus estudios, ¡y tu hermano me habló tantas veces de ti!... Eras el hermano pequeño, a quien se amonesta con autoridad, pero por quien se siente una ternura de padre... Después, le entró la idea de marcharse a la guerra y — mira tú lo que son las cosas —, cuando ya él no podía hablarme del señorito Alfredo, el señorito Alfredo se me presentó en carne y hueso, con un título académico en el bolsillo, y con unas miradas muy insinuantes para mí, cada vez que nos quedábamos solos...

ALFREDO

Es que me gustaste desde que te ví. ¡Extravagancias que tiene uno!

ADELA

¡Ah! ¿Conque extravagancias? ¡Dónde irás tú que más valgas!

ALFREDO

(*Riendo.*) ¡Ja, ja, ja! ¡Ya te has picado!

ADELA

No me pico, pero qué atrevido eras... Recuerdo que una vez, en esta misma sala, me empezaste a piropear de repente, y me pusiste más colorada que una amapola.

ALFREDO

Sí, te abochornaste por fuera, pero, por dentro, bien que
5 te gustarían mis piropos.

ADELA

¡Qué insolente!

ALFREDO

¡Como que son marca de fábrica! ¡Especialidad de la casa!

ADELA

¡Que fuiste muy atrevido: eso es! Tu hermano nunca se
10 consintió esas libertades conmigo.

ALFREDO

¡Porque no le gustarías! ¡Él tiene mejor gusto que yo!

ADELA

(*Con algo de melancolía.*) ¡No, ya sé que no le gustaba! Tuvo mucho tiempo para demostrarme lo contrario y nunca sintió la necesidad de hacerlo.

ALFREDO

15 ¡Oye! ¡Oye! ¡Parece que lo dices con pena!

ADELA

(*Herida.*) ¡Mira, Alfredo, ese juego sí que no me gusta! ¡Dime lo que quieras, pero eso no!

ALFREDO

¡Si es una broma, muchacha! En un año que estuvieron juntos, y solos, en esta casa, si alguno se hubiese enamorado del otro, ocasión hubiese tenido de demostrarlo. 5

ADELA

¡Alguno, no! Él es el único que hubiese podido hacer demostraciones. ¿De cuándo a acá las mujeres nos declaramos, Alfredo?

ALFREDO

¡De siempre!

ADELA

¿De siempre? 10

ALFREDO

¡Claro! La mujer no descubre su cariño con palabras, como hace el hombre, pero dispone de muchísimas trapisondas para darse a entender cuando le conviene.

ADELA

Yo no soy así, y tú bien lo sabes. Mientras no me hablaste muy claro, no me sacaste ni una sílaba. 15

ALFREDO

Es que no te dió fuerte, como a otras. ¡Si las he visto a porrillo!... Unas con la mirada, otras con la sonrisa, otras con el abanico... ¡Uy! ¡No me hagas hablar!

ADELA

¡Eres un chiquillo malcriado!

ALFREDO

5 ¡Y tú la chiquilla más linda que Dios ha echado a la tierra! (*Se acerca mucho a Adela.*)

ADELA

¡Bueno, no te acerques mucho!

ALFREDO

¡Me da la gana!

ADELA

¡Mira que llamo a tu madre!

ALFREDO

10 ¡Llámala!

ADELA

¡No digas eso! Sabes que hemos acordado guardar el secreto de nuestro amor, y no descubrirle a nadie que nos queremos, hasta que llegue Rodolfo.

ALFREDO

¡Claro que lo sé! ¡Pero ahora no nos ve nadie!

ADELA

El Diablo son las cosas, y donde menos se piensa...

ALFREDO

¡Déjate de refranes!

ADELA

¡Pero, Alfredo!...

FERMÍN

(*Por el foro, tosiendo.*) ¡Ejem, ejem!

ADELA

¡Ya nos han visto! ¡Ya estarás contento! (*Vase por la* 5
segunda puerta de la izquierda.)

ESCENA III

ALFREDO, DON FERMÍN, *y a poco* DOÑA JUANA

FERMÍN

¡Felices, Alfredito! ¿Por qué se ha fugado Adela?

ALFREDO

¡Usted verá!

FERMÍN

¿Ver? ¡Si no he visto nada!

ALFREDO

¡Vamos, don Fermín!

FERMÍN

¡Te juro que no ví que le tenías cogida la mano!

ALFREDO

¡Qué guasón es usted! Ahí viene mamá.

JUANA

¡Don Fermín! ¡Querido doctor! (*Don Fermín le estrecha*
5 *la mano.*)

ALFREDO

Mamá, voy al muelle, a recibir a mi hermano. ¿Tú no vienes?

JUANA

No. Iba a emocionarme mucho, y no quiero que la gente vea...

ALFREDO

10 Bueno. Pues entonces, ¡hasta después! ¡Adiós, doctor!

FERMÍN

¡Adiós! ¡Y que conste que yo no he visto nada!

ALFREDO

¡Es terrible este don Fermín! (*Vase por el foro.*)

ESCENA IV

DOÑA JUANA *y* DON FERMÍN

FERMÍN

¿Y cómo va esa fortaleza, doña Juana?

JUANA

¡Ya puede usted suponerlo!... ¡Con la alegría que me espera hoy!... (*Ambos personajes se sientan.*)

FERMÍN

Ya, ya sé que hoy regresa el héroe; por eso me tiene usted aquí. 5

JUANA

No podía haber un acontecimiento tan grande en mi casa, sin su presencia, doctor. No en vano fué usted el mejor amigo de mi pobre marido, y, fiel a su recuerdo, nos ha querido usted tanto a nosotros.

FERMÍN

Ha sido egoísmo, señora. Nunca me casé, vivo desde 10 hace años junto a un par de sirvientes cincuentones, y en esta casa era donde podía sentir un poco de calor de hogar. Por eso me acerqué a ustedes. Ya ve que no todo ha sido mérito mío. Tenemos tan pegado al corazón el egoísmo, que en la más abnegada de las acciones humanas siempre hay 15 un poco de interés, como en el fondo del arroyo más cristalino siempre hay un poco de cieno.

JUANA

Estamos hechos de barro, don Fermín, ¿y qué le va usted a pedir al barro?

FERMÍN

Exactamente, señora. Y lo que se alegraría su pobre esposo de usted, mi amigo, mi buen amigo, si levantara la
5 cabeza y viera a su hijo hecho un héroe.

JUANA

¡No me diga usted!... ¡Con aquel entusiasmo que él sentía por Francia, y lo arrestado que él era!... Como Rodolfo, que es el vivo retrato de su padre. Desde que estalló la guerra se le puso entre ceja y ceja que él iba a
10 pelear por Francia. Mire usted que yo traté de disuadirle, con el egoísmo del cariño de las madres. Pero bueno es el muchacho para que le convenzan, ¡tiene una voluntad!...

FERMÍN

¡Como su padre! Que por poco les deja a ustedes en la calle cuando nuestra guerra de Independencia.

JUANA

15 Y qué días pasé a raíz de marcharse mi hijo... No quiero acordarme, don Fermín... La casa se me caía encima... Menos mal que entonces regresó Alfredo de la Universidad y con eso me alegré un poco.

FERMÍN

¡Ya lo creo! ¡Era el otro hijo que volvía!

JUANA

Además de Adela, que es otra hija para mí. ¡Con cuánto cariño me atendía!... ¡Cómo velaba por mí a todas horas!... Y eso que ella también se quedó sin alma en el cuerpo. ¡No sabe usted lo que se entristeció esa muchacha con la ausencia de mi hijo! ¡Si hubiera sido su novia, no se hubiera afectado más!

FERMÍN

¡Es muy sensible, sí, señora! ¡Muy sensible!

JUANA

¡Ha sufrido tanto la pobre!... Muy niña perdió a su madre; después, al lado de su padre, llevó una vida de trabajo y de pobreza; sólo junto a mí puede decirse que ha disfrutado de un poco de abundancia y de paz.

FERMÍN

¡Ella le debe mucho a usted!

JUANA

¡Y bien me paga! No sólo conmigo, sino con mis hijos, es de lo más cariñosa.

FERMÍN

Y sus hijos con ella. Sobre todo... Alfredito.

JUANA

¿Alfredito? Pues no son ésas mis sospechas. Siempre me ha dado el corazón que, entre los dos, Rodolfo se interesaba más por ella.

FERMÍN

¿Y entonces cómo nunca lo dijo?...

JUANA

¡Vaya usted a saber! ¡Como ya el muchacho estaba con la obsesión de irse a la guerra!... ¡Tal vez por eso!...

FERMÍN

Sí, tal vez por eso... ¡Cualquiera averigua!... ¡Yo, en este
5 asunto, estoy a ciegas! ¡No he visto nada! ¡Absolutamente nada!

JUANA

Y conste que yo me alegraría. ¿Quién mejor para mi hijo?

FERMÍN

¡Indudablemente!

JUANA

10 Y como están las muchachas hoy en día. En nuestro tiempo éramos más comedidas. ¿No es verdad, don Fermín?

FERMÍN

¡Mucho más! Lo que no les perdonamos todavía los que por aquel entonces éramos pollos.

JUANA

Es que ustedes también eran menos atrevidos...

FERMÍN

(*Con malicia.*) ¡Había de todo!... ¡No crea usted!...

JUANA

Yo recuerdo que hasta que no me bajaron el vestido no supe lo que era entrar en un baile. Y ahora ve usted a las niñas, que primero aprenden a bailar que a leer...

FERMÍN

Pero eso no es culpa de las niñas, sino de las mamás, que sólo les interesa casar a las hijas, y como saben que bailando se saca el novio más pronto que leyendo...

JUANA

¡Tiene usted razón! ¡Las mamás!... Pero... siento ruido en el jardín. Dispense usted, doctor, pero quiero ver... (*Se levanta y se dirige al foro.*)

FERMÍN

¡Vaya usted, señora! ¡Vaya usted!

JUANA

¡No! ¡No es él todavía! ¡Son unos amigos!

FERMÍN

¡No se apure usted, doña Juana, que ya llegará su hijo y se cansará usted de apretarle contra su corazón!

JUANA

¡Ay, doctor! ¡Así lo espero!

ESCENA V

Dichos, DOÑA RITA, NENA *y* ANTONIO, *por el foro*

NENA

¡Doña Juana!

JUANA

¡Nena!

RITA

¡Amiga mía!

JUANA

¡Doña Rita!

ANTONIO

5 (*Inclinándose.*) ¡Señora!

JUANA

Entren ustedes, siéntense... Aquí tienen a don Fermín, al querido doctor... (*Saludos.*)

RITA

Me alegro mucho encontrarle, doctor. Tenía necesidad urgentísima de consultarme con usted, porque siento unas 10 palpitaciones muy raras en el corazón.

FERMÍN

Eso debe ser que está usted enamorada... ¿Acerté?

TODOS

(*Riendo.*) ¡Ja, ja, ja!

RITA

¡Ni una palabra más! ¡Se acabó la consulta! ¡Está usted queriendo burlarse de mí! (*Siéntanse todos.*)

NENA

Pues al llegar aquí tuvimos el gusto mi hermano y yo de encontrar a doña Rita, que, como nosotros, venía a felicitarla a usted. (*Dirigiéndose a* DOÑA JUANA.) 5

RITA

¡Hoy es usted acreedora a las mayores congratulaciones!

NENA

¡Lo contenta que debe estar usted, doña Juana!

JUANA

¡Calculen ustedes!

ANTONIO

¡Y mire usted que fué arrestado su hijo!... Aunque yo, en puridad, estaba resuelto a hacer otro tanto. Si la guerra me 10 hubiese dado tiempo...

FERMÍN

Hubiera usted ido a Francia...

ANTONIO

Por lo menos lo hubiese intentado... Porque yo no estoy bueno del corazón, ¿comprende usted? ¡Y me hubiesen eximido, a mi pesar! 15

RITA

¡Es un peligro ir a la guerra teniendo el corazón enfermo!

FERMÍN

¿Por los sustos que se pasan en ella, lo dice usted?

ANTONIO

¡Hombre, por los sustos, no, porque yo no iba a asustarme! Pero...

FERMÍN

5 ¡Comprendido! Aquí parece que había muchos como usted. Parece que todo el mundo estaba enfermo del corazón... para ir a la guerra. Y los que no estaban enfermos del corazón, estaban muertos... ¡de miedo!, y, para el caso, lo mismo daba.

ANTONIO

10 ¡Qué bromista es el doctor! (*Ríen todos.*)

NENA

Yo, en cambio, sí tuve el gusto de ayudar a los Aliados. Pertenecía a la *Cruz Roja*, y no me excusé nunca de laborar por ella. ¡Figúrese! Cómo iba a negarme a eso ¿cuando estaban allí las de Torres, las de Mendoza y las de Peña?

FERMÍN

15 ¡Claro! De paso que trabajaba usted por los Aliados se codeaba usted con toda esa gente distinguida, que es la que da o quita la preeminencia en los salones, y así laboraba

usted por la libertad del mundo y aumentaba en rango social...

JUANA

¿Ven ustedes? ¡No dice una palabra en serio!

NENA

¡Sí, es demasiado bromista!

RITA

Pues a mí nadie me sacó de mi casa. Yo no hago nada 5
por el extranjero. ¡Si hubiese sido por los cubanos!...

JUANA

Pues Cuba estaba en guerra, doña Rita.

RITA

Yo no lo sentía así, y nunca me tomé el trabajo de molestarme por la *Causa*.

FERMÍN

Por eso decían por ahí que era usted germanófila, y que 10
guardaba el retrato del *Kaiser* en el libro de misa.

RITA

¡Qué herejía! Yo no soy más que cubana; cubana, por mis cuatro costados.

FERMÍN

¡Eso que acaba usted de decir, me ha recordado un cuento!... El de una señora que iba a misa, y que al pasar por 15

la mesa petitoria, preguntaba: «¿para qué santo piden hoy?», y que después de oír el nombre del santo, decía siempre: «ése no es el de mi devoción; yo no doy limosna sino para San Cayetano». Pero un día preguntó como tenía
5 por costumbre: «¿para qué santo piden hoy?», y le respondieron: «para San Cayetano». Y ese día...

ANTONIO

¡Dió la limosna!

FERMÍN

¡No, señor! ¡Contestó... que no llevaba menudo!

RITA

(Con intención.) ¿Y cuál es la moraleja del cuento?

FERMÍN

10 Que yo desconfío de los que contestan que son *cubanos* cuando se trata de ayudar al extraño en desgracia. Porque esos mismos, cuando se les dice de auxiliar a Cuba, siempre contestan, como la señora de mi cuento, que no llevan menudo.

RITA

15 ¡Don Fermín! ¡Que está usted ofendiéndome!

FERMÍN

¡No, doña Rita, esto es pura broma! Y si alguna verdad hay en mis palabras no quiero dirigirme a usted: hablo en general. Digo lo que digo porque son muchos los que han tratado de eludir sus deberes de humanidad en esta guerra con ese ridículo pretexto de que no se iba a luchar por Cuba, como si Cuba no hubiese estado empeñada en la contienda lo mismo que cualquiera otra nación. Y con eso ¿qué hemos conseguido? Que se nos juzgue egoístas y temerosos, cuando 5 siempre hemos abierto nuestra mano al desvalido y hemos luchado cara a cara, durante siglos, con una nación infinitamente más poderosa que la nuestra. Lo que nos falta es idealismo, culto por las altas realidades del espíritu: libertad, justicia, belleza... ¡Por eso discutimos el dar nuestra 10 sangre por el triunfo del Derecho y el amor de la Humanidad, y, en cambio, la derramamos gustosos en unas vulgares elecciones de partido, por quitar al que está yantando en el comedero y apoderarnos nosotros de la tajada!

ANTONIO

¡Ese interés es muy humano, don Fermín! 15

FERMÍN

¡Y muy *cubano*... también! ¡Pero lo de menos fuera eso si, cuando el Ideal nos llama desde lo alto, supiéramos levantar la cabeza!

RITA

¡*Tableau!* ¡El doctor se nos ha vuelto... romántico!

FERMÍN

¡No, señora! Lo que quiero es poner en claro una verdad 20 que se va quedando muy oscura, aunque brotó de los labios más luminosos del mundo...

RITA

¿Y qué verdad es ésa, poético doctor?

FERMÍN

¡La de que no sólo de pan vive el hombre, señora!

JUANA

¡Admirable, ha estado admirable la discusión! (*Levantándose, de pronto.*) Pero... esperen ustedes...

FERMÍN

5 ¿Cómo?

RITA

¿Qué?

NENA

¡No entendemos!...

JUANA

¡Esperen, esperen ustedes!...

ANTONIO

¿Pero...?

ADELA

10 (*Dentro, con júbilo.*) ¡Doña Juana!

JUANA

¡Mi hijo! ¡Mi hijo! (*Corre al foro.*) ¡Él! ¡Él!

ESCENA ÚLTIMA

Dichos, ADELA, *y, en seguida,* ALFREDO *y* RODOLFO

ADELA

¡Ahí está! ¡Le he visto! (*Dirigiéndose a los visitantes.*) (*Todo el mundo está en pie.*) (*Gran expectación.*)

RODOLFO

(*Dentro.*) ¡Madre! (*Sale, con uniforme del ejército francés.*)

JUANA

¡Hijo mío! (*Se abrazan delirantemente.*)

ALFREDO

¡Ya está aquí! (*Pausa breve.*) (*Todos se acercan a Rodolfo.*) 5

ADELA

¡Al fin has llegado!

FERMÍN

¡Bravo por el héroe!

TODOS

¡Bravo!

JUANA

¡Ven, siéntate!

RODOLFO

Guíame, madre. 10

JUANA

¿Cómo? ¿Qué has dicho?

RODOLFO

Que no puedo... Que no puedo andar solo...

ALFREDO

¡Pobre madre mía!

ADELA

¿Eh?

FERMÍN

5 ¿Qué?

RITA

¿Cómo?

JUANA

¿Por qué has dicho eso? ¿Será acaso?... ¡No!

RODOLFO

¡Sí! ¡Ciego, madre!

JUANA

¿Ciego? (*Movimiento general.*)

RODOLFO

10 ¡Ciego, sí! ¡Pero por el amor de la Justicia y la libertad de los hombres! (*Cae el telón.*)

FIN DEL ACTO PRIMERO

ACTO SEGUNDO

Acto Segundo

La misma decoración del primer acto.

ESCENA PRIMERA

DOÑA JUANA *y* ADELA

ADELA

(*Entrando por el foro.*) ¡Doña Juana!

JUANA

¡Hola, hija mía! ¿Hoy no traes flores?

ADELA

¿De qué serviría que las trajera, si Rodolfo ya no las puede ver?

JUANA

¡Es verdad! 5

ADELA

Porque para mí las flores, a pesar de su aroma, no se han hecho para olerlas, sino para mirarlas. ¡Así parecen más espirituales!

JUANA

(*Llorando.*) ¡Ya para mi hijo no existe ese goce!

ADELA

¡Vamos, no llore usted, doña Juana! ¡No llore usted, que va a hacerme llorar a mí!

JUANA

¡Deja que llore, a ver si también me quedo ciega!... ¡Que no sé qué me da verme a mis años con esta vista tan clara, 5 y a él, en cambio, que empieza a vivir, con unos ojos tan grandes y tan abiertos, pero ciegos ya para siempre!...

ADELA

¡Pobre Rodolfo! ¡Qué desgraciado ha sido!

JUANA

Compadécete mucho de él, hija mía. Atiéndele mucho, porque su dolor es muy grande. ¡Yo sé que él tiene mucho 10 gusto en sentirte a su lado!...

ADELA

Sí, doña Juana, todo el tiempo que pueda le prometo estar junto a él.

JUANA

Si alguna gratitud me tienes, demuéstramela así, queriendo a mi pobre ciego.

ADELA

15 ¡Oh, no, es que aparte de eso yo quiero a Rodolfo! ¡Para mí no es una penitencia acercarme a él, como usted supone! ¡Digo que tampoco hay que extremar las cosas ni dejarse llevar demasiado del sentimiento!

JUANA

¡No, si ya sé que tú eres muy buena, y que para ti es un gusto aliviar tristezas y dolores!...

ADELA

Iría de lazarillo suyo, sin cansarme, por toda la tierra; pero...

JUANA

Pero nada: que harás lo que yo te he pedido. (*Por la puerta del cuarto de* DOÑA JUANA, *que estará abierta, penetra un son lejano de violín.*) ¿Oyes? Es un ciego, otro ciego, hija mía. Es un mendigo que todas las mañanas se para frente a mi reja, a pedir limosna. ¡Hoy me va a parecer que se la estoy dando a mi propio hijo!... 5 10

ADELA

¡Ay, doña Juana, no piense usted esas cosas!

JUANA

¿Pero qué quieres tú que piense? Al quedar sin luz los ojos de mi hijo, mi alma quedó también a oscuras, y, en la sombra, todos los pensamientos son tristes.

ADELA

¡Dicen que a lo más oscuro amanece Dios! 15

JUANA

Y tal vez amanezca, hija mía... Es una idea muy hermosa que tengo... Por eso te he hecho tantas recomendaciones...

Pero no añado ni una sílaba... ¡Hasta luego! ¡Hasta luego, que el pobre ciego me espera! ¡Nunca le dí la limosna como se la daré hoy! ¡Si él supiera!... (*Vase.*)

ADELA

¡Pobre doña Juana! ¡No merecía este dolor! ¡Ni él!...
5 ¡Tampoco él!... (*Abstraída, se sienta, mientras, a lo lejos, sigue sonando el violín. Cuando éste cesa, aparece* ALFREDO *por la izquierda.*)

ESCENA II

ADELA *y* ALFREDO

ALFREDO

(*Con júbilo.*) ¡Adela!

ADELA

(*Estremeciéndose y poniéndose en pie.*) ¡Ay!

ALFREDO

10 ¿Pensabas en mí?

ADELA

No... Sí... ¡Qué sé yo lo que pensaba!...

ALFREDO

Pues te encontré de lo más abstraída.

ADELA

Me entristeció el violín del ciego ese que pasa por la calle. Tiene una manera de tocar...

ALFREDO

Pues yo no quiero que te entristezcas por nada. Quiero que estés alegre como yo, que parece que llevo el sol dentro del alma... 5

ADELA

Pues no debes alegrarte tanto, Alfredo... ¿No recuerdas ya la desgracia de tu hermano?

ALFREDO

La recuerdo con mucha pena, pero junto a esa pena, está la alegría de tu querer, y no he de matarla, Adela, porque esa alegría es tan santa como aquel dolor. 10

ADELA

Ya lo sé, pero las circunstancias nos obligan a reprimir nuestro contento. De tal modo que he pensado una cosa... Algo que no sé cómo te parecerá...

ALFREDO

¡Acaba, Adela! ¡Estás inquietándome!

ADELA

Pues he pensado, Alfredo, que no digamos nada de nuestros amores todavía... Que aplacemos para más adelante la noticia... 15

ALFREDO

¡Oh, no, Adela! ¡Con eso no estoy conforme! ¡Yo deploro mucho la desgracia de mi hermano, pero por eso no he de sacrificar mi corazón!

ADELA

¡Si nadie te pide que sacrifiques nada! ¡Sólo se trata de aplazar un poco la noticia de nuestro compromiso!...

ALFREDO

¡Imposible! ¡Imposible! ¡Ya yo he esperado bastante! ¡Ya deseo que podamos estar juntos, a todas horas, y no conversando a hurtadillas, como ahora, igual que si fuese un delito nuestro amor!

ADELA

¡Pues serás un egoísta, si no sabes esperar! En estos momentos no debe dominarte más que una idea, la misma que lleva tu madre clavada como una espina en el corazón...

ALFREDO

¡Ay, Adela, parece que tú no sabes lo que es querer, cuando me pides esos imposibles! ¡No hay espina que se clave tan adentro como la de un amor verdadero! ¡Lo que pasa es que tú no me quieres con fuerza! ¡Que no me quieres como yo te quiero a ti!

ADELA

¡Bien por *Romeo*! Ahora vas a hacerme creer que eres un *Leandro* y yo una mujer sin corazón, que accede a casarse contigo por compromiso. ¿No es eso?

ALFREDO

Lo que yo sé es que cuando se quiere de veras no hay más que el propio querer ni se anhela nada que no sea eso, y tú piensas en muchas cosas que no son nuestro cariño...

ADELA

Pienso en lo justo, en lo razonable, en lo que debe ser...

ALFREDO

Porque es deber, y es razón, y es justicia, es por lo que dudo yo de que sea amor... 5

ADELA

¡Jesús, pero qué encaramillo estás armando!... ¿Y lloras? ¡No! ¡Que no se diga, Alfredo!...

ALFREDO

(*Sentándose.*) ¡Si sabes que soy un niño!...

ADELA

(*Acercándose a él.*) ¡Pues yo no quiero que llores! Aunque 10 te quiero tan poco, como piensas, cada lágrima tuya me cae en el corazón y parece que lo quema. Todo esto ¿por qué ha venido? ¿Porque te pedí que aplazaras la noticia de nuestro noviazgo? ¡Pues cuenta con que no te he dicho nada, y esta tarde, cuando te parezca oportuno, la das, y se acabó! 15 ¿Estás contento?

ALFREDO

¡Estoy loco, Adela! ¿Ves? ¡Ya se disiparon las lágrimas y todo me parece que sonríe!

ADELA

¡Eso para que digas que no te quiero!...

ALFREDO

¡Fué un delirio mío! ¡Creo en ti, Adela, y creo en la felicidad, porque si esto que siento en mi corazón ahora no es la felicidad, merece la pena de serlo!

ADELA

5 Pero... ¡no grites! Pueden oírnos antes de tiempo, y ¡adiós, sorpresa!

ALFREDO

No, si yo me voy a mi cuarto, a enjaular mi alegría entre cuatro paredes, para que no suene mucho, pero luego... ¡Ah, luego va a sonar a gran orquesta, y va a parecer que todas 10 las músicas del mundo están cantando en esta casa! ¡Adiós, Adela! ¡Adiós, amor mío! (*Marcha hacia su cuarto.*) ¡Qué feliz soy! (*Vase.*)

ADELA

¡Es un niño! ¡Y cómo me quiere! Pero... ¡no debía alegrarse tanto! (*Vuelve a sonar el violín.*) ¡Jesús! ¡Otra vez el 15 violín! ¡Cerraré, para no oírlo! (*Cierra violentamente la puerta.* RODOLFO, *tacteando, aparece por la izquierda.*)

ESCENA III

ADELA *y* RODOLFO

RODOLFO

(*Desde la puerta.*) ¡Adela! ¿Estás ahí?

ADELA

¡Sí, Rodolfo! ¡Espera! (*Le trae a una butaca.*)

RODOLFO

¡Qué buena eres! ¡Y qué suave tu mano, y qué bien guía!

ADELA

Siéntate aquí, en esta butaca. ¿Estás cómodo?

RODOLFO

Sí, muy cómodo, pero siéntate tú cerca.

ADELA

Cerca estoy, ¿no me sientes? 5

RODOLFO

(*Sonriendo.*) Creo sentirte, porque huelo a rosas, pero no sé si son las de tu cara o las del jardín.

ADELA

¡Qué piropo más bonito! Bien se ve que llegas de la tierra de la galantería y del amor.

RODOLFO

Poco de amor y de galantería pude aprender en Francia 10 ahora. ¡Era demasiado cruel el enemigo para pensar en el amor!

ADELA

¡Ya lo comprendo! ¡La lucha ha sido brutal!

RODOLFO

En ella dejé mis ojos: ¡para mí no ha podido ser más despiadada!

ADELA

¡No recuerdes eso! ¡Piensa en otra cosa!

RODOLFO

(*En tono ligero.*) Pensaré en ti, ¿quieres?

ADELA

5 ¡Yo no valgo la pena, Rodolfo!

RODOLFO

¡Y lo que daría por volver a verte!... ¿Tienes aun el cabello tan oscuro como antes? ¿Conservas en las mejillas aquella suave palidez que te hacía tan delicada? ¡Dime, dime cómo estás!

ADELA

10 ¡Bah! ¡Muy fea! Con la cara siempre descolorida y el pelo de color de ala de mosca.

RODOLFO

¡No digas así! ¡Si vieras qué bonita te veo en mi recuerdo!... ¡Con tu cara de madona, con tu expresión virginal y triste, con tu figura de bondad y de dolor!...

ADELA

15 ¡Cómo poetizas! ¡Más vale que no me veas, porque ibas a perder la ilusión!

RODOLFO

¡Hay ilusiones que no se pierden nunca!

ADELA

¡Es verdad! (*Inclina la cabeza.*)

RODOLFO

(*Vivamente.*) ¿Por qué doblaste la cabeza?

ADELA

(*Muy sorprendida.*) ¿Pero lo has visto?

RODOLFO

Ví... La idea que pasó por tu frente, y pesaba mucho, 5
para que no la doblegara.

ADELA

¿Y qué idea era ésa?

RODOLFO

¡No lo sé, Adela! La ví pasar como una de esas nubes oscuras y grandes, dentro de las cuales nadie sabe lo que va.

ADELA

Te lo preguntaba porque yo misma ignoro lo que pensé. 10
¿A ti no te ocurre que a veces piensas, sin pensar? ¡Yo creo que el pensamiento, como la naturaleza, tiene horas de niebla, en que todos los contornos se borran y todas las imágenes se desvanecen!

RODOLFO

Para ti serán horas de bruma, de esa bruma que precede a la aurora, y que no es sino una dulce promesa del amanecer.

ADELA

¡Quién sabe si sean nieblas, Rodolfo! ¡Las nieblas de la
5 tarde, que amortajan al sol que se va!...

RODOLFO

¡Hablas con desencanto, Adela! ¿Por qué hablas así?

ADELA

¡Oh, no! ¡Yo no estoy desencantada, Rodolfo! Tengo el deber de juzgarme dichosa, y dichosa soy... ¡No me hagas caso!...

RODOLFO

10 Adela, no sé por qué me parece sentir en tus palabras algo de titubeo, de vacilación, como si en tu corazón hubiese lucha y secreta discordia de pasiones... ¿Hay algo que pugne en tu corazón? ¡Dímelo! ¡Quiero que me lo digas! ¡Necesito saberlo!

ADELA

15 ¡Qué cosas se te ocurren! Mi corazón está en paz y yo soy muy feliz. ¿Qué más quieres que te diga?

RODOLFO

Lo que quiero es que seas sincera... ¿Eres sincera, Adela?

ADELA

Creo serlo, Rodolfo, pero quién sabe... ¡Nos engañamos tantas veces a nosotros mismos!...

RODOLFO

Pues el primer deber de cada uno es buscar la verdad del propio corazón.

ADELA

¡Cuando se puede!... ¡Cuando la vida nos deja!... ¡Hay seres que no han venido al mundo a elegir, sino a aceptar! 5

RODOLFO

¡Ésos serán los débiles, los cobardes, no tú, Adela!

ADELA

¡Eres un soñador, Rodolfo!

RODOLFO

Será como quieras, pero vuelvo a mi tema. Has de ser franca conmigo. Quiero que me abras tu corazón y entonces 10 vas a oír de mi boca muchas cosas que nunca te he dicho, y que están archivadas en ella, esperando su hora.

ADELA

No sé qué cosas serán ésas. Pero sean cuales fueren, por venir de ti, las oiré con gusto. Y lo único que deseo es que suenen a su hora, como tú dices, que no sea ya demasiado 15 tarde para oírlas.

RODOLFO

¿Por qué dices eso?

ADELA

¡Por nada! (*Levantándose.*) Mira, vamos a dar una vuelta por el jardín, para que cojas un poco de sol... ¡La mañana es espléndida!

RODOLFO

5 Debe serlo... Flota, sacudido por la brisa, un suave vaho de calor, que tiene algo de maternal, de clemente. No sabes lo que reconforta esta atmósfera benigna, después de los fríos de Europa. Esto vuelve la sangre al cuerpo.

ADELA

¡Pobre Rodolfo! ¿Pasaste muchos fríos?

RODOLFO

10 ¡Muchos! ¡Qué noches aquéllas, tendidos en haces los soldados, junto a las trincheras oscuras, con una humedad que nos calaba los huesos, y expuestos a un asalto del enemigo, que nos acechaba; mientras arriba, como una promesa de paz, como una mirada infinita de amor, veía 15 brillar las estrellas azules en la serenidad del cielo sin manchas!

ADELA

¿En esas luces lejanas nunca sentiste que te mirábamos nosotros, los tuyos?

RODOLFO

Sentí que me miraba mi madre, mi hermano; de ti... no sabía... Eres tú quien debe decírmelo... Yo ya no puedo preguntárselo a ellas...

ADELA

¡Tampoco yo puedo decir ya nada!... Vamos, vamos al jardín... Quizá las rosas te lo digan, o los pájaros viajeros 5
que se posan un instante en los árboles.

RODOLFO

¡Vamos al jardín, Adela! Se lo preguntaré a los pájaros y a las rosas, y si no responden las rosas ni los pájaros, se lo preguntaré a tu alma. (*Se levanta.* ADELA *le coge de la mano.*)

ADELA

Ven... Por aquí... Con cuidado... 10

RODOLFO

¿Y el jardín? ¿Cómo está? Lo quiero mucho y deseo formarme idea...

ADELA

Pues, mira, el naranjo está lleno de flores blancas; los rosales de la fuente se caen al suelo de rosas, y las violetas y los jazmines que tú sembraste... (*Lentamente, han desa-* 15
parecido por el foro).

ESCENA IV

DOÑA JUANA, *y, en seguida,* DON FERMÍN

JUANA

(*Por la derecha.*) ¡Rodolfo! ¡Rodolfo!... ¡No está! Pues juraría haber oído su voz. ¡Pobre hijo mío! (*Se sienta.*)

FERMÍN

(*Por el foro.*) ¡Doña Juana!

JUANA

¡Querido doctor!

FERMÍN

5 (*Sentándose también.*) He visto a su hijo por el jardín, a Rodolfo.

JUANA

(*Con temor.*) ¿Iba solo?

FERMÍN

¡No, señora! Iba dulcemente acompañado de Adela, que parecía estar muy satisfecha de guiarle.

JUANA

10 (*Regocijada.*) ¿Le pareció a usted así?

FERMÍN

¡Sí, señora! Y no le debe extrañar eso: ya sabe usted lo buena que es esa muchacha.

JUANA

Ciertamente, doctor. Y me alegra infinito lo que me dice, porque yo tengo un plan... (*Con sorna.*) ¡Un plan... *maquiavélico*!

FERMÍN

¡Celestes *maquiavelismos* serán los suyos, doña Juana!

JUANA

No crea usted, no crea usted... En cada alma, hasta en la más pura, echa el Diablo su gotita de malicia. Y yo he pensado... 5

FERMÍN

¡A ver, qué ha pensado usted, alma piadosa y cándida!

JUANA

Pues he pensado intentar el matrimonio de Adela con Rodolfo... ¿Le parece a usted un disparate? 10

FERMÍN

¡No, señora! ¿Por qué ha de parecerme eso?

JUANA

Porque ése es el único consuelo que puedo darle a mi hijo. ¿A qué cosa puede él ya aspirar en la vida que no sea a la abnegación de una mujer buena? ¿Quién podrá velar por él, cuando yo le falte, si no es una esposa, una esposa como lo será esa niña, tierna, humilde y dispuesta al sacrificio?... 15

FERMÍN

Ve usted las cosas a su verdadera luz. ¡Con cuánta exactitud se dice que el corazón de las madres nunca yerra! Sin embargo, aquí la dificultad consiste en que Adela, de sus dos hijos, opte por Rodolfo; porque a mí me ha parecido...

JUANA

5 ¿Qué, doctor? ¡No me inquiete usted!

FERMÍN

Me ha parecido, doña Juana, que entre Adela y Alfredo hay algo... No sé si amores formales o vagas simpatías... Pero yo bien imagino que no se miran con indiferencia...

JUANA

¡Imposible, doctor, imposible! ¿Cree usted que yo no iba 10 a notar?...

FERMÍN

¡Mire usted que a los viejos nos engañan sin trabajo! ¡Que no hay nadie más ciego para las cosas de los hijos que los propios padres!

JUANA

Sin embargo, doctor, hay cosas...

FERMÍN

15 ¡No me convence usted, doña Juana!

JUANA

Pues, en ese caso, vamos a averiguar la verdad. ¿Por qué no habla usted con Adela, para ver si salimos de dudas?

FERMÍN

Depende de que ella no dé en callarse, porque no hay nada más impenetrable que una mujer, cuando no quiere hablar...

JUANA

No se ocupe usted de eso... Lo que importa es que usted investigue. Eche usted el anzuelo, que siempre algo se pesca. 5

FERMÍN

Lo echaremos, doña Juana. Y la ocasión se acerca. Para aquí vienen Adela y Rodolfo.

JUANA

¡Mucha táctica, doctor, y a ver qué sacamos en limpio!

FERMÍN

Lo que yo deduzca de la entrevista, mañana se lo confiaré a usted. 10

JUANA

¡Quiera Dios que el cielo nos ayude!

ESCENA V

Dichos, ADELA *y* RODOLFO

ADELA

Mira, Rodolfo, aquí tienes a tu madre.

RODOLFO

Mamá, ¿dónde estás?

JUANA

Aquí, hijo mío; esperándote, para apoderarme de ti. (*Le toma de un brazo.*)

RODOLFO

Tuyo soy, mamá: te apoderas de lo que es tuyo.

JUANA

5 Sí, sí, con esa tonada bien me juegas la cabeza, picarón.

RODOLFO

No digas así, mamá. Vamos a donde quieras... No discuto.

JUANA

Ven a mi cuarto, para que charlemos... Doctor, dispénseme usted... Le dejo con Adela...

FERMÍN

10 Sí, señora... Vaya sin pena...

RODOLFO

¡Adiós, doctor!

FERMÍN

¡Adiós, pollo! Se lleva usted del brazo a una buena moza.

RODOLFO

¡Para mí, la más linda de la tierra!

JUANA

¡Qué bueno eres, híjo mío! (*Vanse* DOÑA JUANA *y* RODOLFO, *por la izquierda. Pausa.*)

ESCENA VI

ADELA *y* DON FERMÍN

FERMÍN

Y bien, Adelita, ¿qué tal ha estado ese paseo por el jardín?

ADELA

Delicioso, doctor. El jardín parecía de oro. Ni una sola nube empañaba el cielo azul...; azul en los últimos días del otoño. ¡No hay país como éste! 5

FERMÍN

Supongo lo deleitosa que habrá sido la jornada para Rodolfo, con una compañera tan peregrina.

ADELA

¡Por Dios, don Fermín! ¡Usted me confunde! 10

FERMÍN

¡Si me hubiese yo visto en su lugar, me hubiese juzgado el hombre más feliz de la tierra!

ADELA

(*En broma.*) Pues si tiene usted tanto gusto en recorrer conmigo el jardín, aquí está mi brazo...

FERMÍN

Yo no soy Rodolfo, hija mía. Ni soy el jardín, que siempre está en primavera. Junto a este pobre viejo, la jornada no iba a ser tan agradable.

ADELA

¡Siempre bromista!

FERMÍN

5 ¡Eso sí! Nunca me quito la máscara que ríe. ¡Como que es un gran recurso esto de no hablar nunca en serio! Así, diga lo que diga, me lo aceptan siempre; como va en broma, nadie se ofende. ¡Esto de las burlas, es un gran salvoconducto en la vida!

ADELA

10 Sin contar con que la vida no debe tomarse en serio.

FERMÍN

En eso tienes razón. Para mí, en los cincuenta años que llevo por el mundo, sólo ha habido una cosa que me quitara la risa: el amor, hija mía: ¡lo único bueno que tienen los hombres!

ADELA

15 ¡Es verdad! ¡El amor!...

FERMÍN

Y ya que hablamos de amor, vaya una pregunta, a guisa de nueva broma.

ADELA

¿Qué pregunta, doctor?

FERMÍN

Ésta, que parece un escopetazo: ¿tú nunca has querido a nadie?

ADELA

¡Si que es un escopetazo la preguntita! Pero debe usted suponer que yo he querido a mis padres, y a doña Juana — 5 que ha sido tan buena para mí —, y también a sus hijos, y hasta a usted, doctor...

FERMÍN

Muchas gracias, pero eludiste lindamente mi pregunta. El amor a que yo quise referirme, es el amor... amor; el amor ilusionado, el amor bonito de las novelas y los versos. 10 Ése, ¿no ha llamado aún a tu puerta?

ADELA

(*Melancólica.*) ¡Quién sabe!

FERMÍN

Ese ¡quién sabe! es toda una afirmación para mi experiencia de viejo. Pero lo has dicho con un tono de tan íntima melancolía, que cualquiera sospecharía, al oírte, que no 15 has podido abrir tus puertas al viajero.

ADELA

Está usted componiendo un madrigal encantador, pero ha llevado usted muy lejos mis palabras. Yo no he hablado con melancolía.

FERMÍN

Es que, en realidad, una muchacha como tú no puede hablar del amor con melancolía. Estoy seguro que al hombre que mires con los ojos tiernos, lo atortolas en seguida... ¡aunque sea ciego!

ADELA

¡Ya no atortolo a nadie, don Fermín!

FERMÍN

Aunque sea ciego, ya digo. Porque Roldolfo...

ADELA

(*Mirando al cuarto de* ALFREDO. ¡Calle usted, por Dios! ¡No diga usted eso!

FERMÍN

¡Yo digo lo que veo! ¿Quieres que sea ciego yo también?

ADELA

¡Qué idea la suya!... ¡Rodolfo!... Si estuvimos juntos más de un año y nunca me dijo nada...

FERMÍN

¡No importa! ¡Tú sabes que él ya tenía pensado marcharse a la guerra!...

ADELA

¡No, no me diga usted eso! ¡Eso ya es imposible! ¡Eso no ha de ser!

FERMÍN

¿Es que a ti te disgusta Rodolfo?

ADELA

¡Oh, no! ¡Eso no!

FERMÍN

¿O será que por su enfermedad?...

ADELA

¡Menos! ¡Si nunca le siento tan digno de cariño como ahora! 5

FERMÍN

Pues, entonces, no me explico...

ADELA

Dejemos esta conversación, don Fermín... Usted no sabe lo que me inquieta hablar de esto... Además, pudieran oírnos, y...

FERMÍN

Si es doña Juana la que nos oye, se alegraría infinito... 10

ADELA

Dice usted que doña Juana...

FERMÍN

Se alegraría infinito...

ADELA

Pues, a pesar de eso, variemos de conversación... Es una súplica que le hago... ¡No sabe usted lo nerviosa que estoy!

FERMÍN

¡Pero si no hay motivo, Adela!

ADELA

Sí, don Fermín; y para que se convenza, óigame usted.
5 Yo ya no puedo pensar en Rodolfo, ni él en mí, porque mi corazón le pertenece a otro hombre.

FERMÍN

Entonces, ¿lo que yo sospechaba?...

ADELA

Será cierto... ¡Estoy comprometida con Alfredo!

FERMÍN

¡Si ya lo decía yo!...

ADELA

10 Pero escuche usted la verdad de mi corazón, que sólo a usted le confiaría en el mundo: ¡el único amor de mi vida ha sido el otro, Rodolfo, y cuanto más postrado por la Fortuna le vea, más le querré!

FERMÍN

Y, entonces, ¿por qué nunca le confesaste ese cariño?

ADELA

Porque él nunca me habló tampoco... Porque él no me ha amado nunca, aunque usted piense lo contrario... El que me quiso fué Alfredo, y yo acepté su cariño, porque mi gratitud a su madre, me imponía ese deber.

FERMÍN

Pues Rodolfo parece quererte... 5

ADELA

¡Ya es muy tarde para saberlo! ¡Ya poco importa que me quiera! Ese amor tuvo su hora, su hora única; él la dejó pasar, y la hora que se va, no vuelve...

FERMÍN

¡Qué pena, Señor! ¡Qué pena!

ADELA

Para mí, muy grande; tan grande que llenará toda mi 10 vida. Pero Alfredo siempre me verá con la sonrisa en los labios, dispuesta, si fuese necesario, a dar la vida por él.

FERMÍN

¡Eres una santa, hija mía! ¡Ojalá no me hubieras dicho nada! ¡Ahora voy a llevar esta preocupación en la cabeza... *per in æternum!* 15

ADELA

Mas, espere usted... Siento ruido en ese cuarto... (*Mirando hacia la izquierda.*) ¡Sí, es Rodolfo que sale!... ¡Yo me voy, don Fermín! ¡Ahora no sabría cómo hablarle!

FERMÍN

¡Ni yo tampoco, hija mía! Márchate a tu cuarto, que yo me vuelvo a la calle. Y confía en mí, que nunca revelaré tu secreto.

ADELA

¡Bien lo sé! ¡Por eso le abrí mi corazón! ¡Y ya ve usted
5 cuánta tristeza escondía!...

FERMÍN

¡Adiós, Adela!

ADELA

¡Adiós, doctor! (*Vanse ambos.*)

ESCENA VII

RODOLFO, *y, a poco,* ALFREDO

RODOLFO

(*Por la izquierda.*) Sí, deja, mamá... Yo sé llegar a la butaca... (*Vacilante, llega a una butaca y se sienta.*) ¿Y mi
10 hermano? ¿Dónde estará? ¡Quiero hablarle! (*Llamando.*) ¡Alfredo! ¡Alfredo!

ALFREDO

(*Dentro.*) ¿Eres tú, Rodolfo?

RODOLFO

¡Soy yo! ¿Dónde estás?

ALFREDO

¡En mi cuarto! ¿Estás solo?

RODOLFO

¡Solo! ¿Quieres salir?

ALFREDO

¡Ahora voy!

RODOLFO

¡Ya no puede pasar más tiempo! ¡Ya es necesario que hable yo de una vez! 5

ALFREDO

(*Saliendo.*) ¡Hermanito! ¿Cómo estás? (*Le abraza.*) Desde que llegaste apenas si hemos tenido tiempo de charlar un rato, como antes, cuando éramos niños, y nos sentábamos a decirnos cuentos, en esta misma sala. (*Se sienta al lado de* RODOLFO.) 10

RODOLFO

¡Figúrate!... ¡Con tantas visitas, y con el hambre que tenía nuestra pobre vieja de hablar conmigo, no me ha quedado tiempo para ti! ¿Me perdonas?

ALFREDO

Te perdono, como antes también, cuando en un momento de rabieta me descargabas un coscorrón, y después 15 venías a pedirme que te perdonara, con lágrimas en los ojos. ¡Y lo que me reía yo entonces de pensar que a mí el coscorrón no me había dolido, y que tú, en cambio, llorabas de pena por él!...

RODOLFO

¡Ja, ja, ja! ¡Qué tiempos aquéllos! ¡Cuando vivía nuestro padre, que tanto nos quería! Las veces que paseó por el
5 jardín, llevándonos estrechamente unidos a su cuerpo, y diciéndonos: ¡qué sabio es Dios! ¡para cada brazo me dió un hijo!... ¡El pobre! ¡Quién iba a decir que al fin la tierra se comería aquellos brazos y que los dos hijos se quedarían para siempre sin su calor!...

ALFREDO

10 ¡Menos mal que nos queda nuestra madre!

RODOLFO

¡Si no fuera así, el más forzado a sentirlo, sería yo, que soy el que más la necesito! ¡Si ella no viviera!...

ALFREDO

¡Me tendrías a mí! ¡A mí, que estoy dispuesto a hacer por ti todo lo que quieras! ¿No lo sabes, Rodolfo?

RODOLFO

15 Sí, Alfredo, yo sé que tú eres muy generoso, que siempre lo fuiste conmigo, pero tampoco iba yo a consentir en sacrificarte... Yo no tengo derecho a servirte de obstáculo... Tú estás en edad de salir al mundo, de gozar, de divertirte... No de vegetar en un rincón, cuidando a un pobre ciego...

ALFREDO

Bien, no adelantemos los acontecimientos. Hoy por hoy, no nos falta ni nos sobra nada. Gocémonos en el día de hoy, y mañana Dios dirá.

RODOLFO

Sin embargo, Alfredo, yo no debo pensar así. Las circunstancias de mi vida me inclinan a ser más previsor. Yo no 5 debo olvidar el mañana, debo buscar algún cariño que me ampare en lo futuro.

ALFREDO

Mamá...

RODOLFO

Mamá, por triste ley de la naturaleza, irá pronto a buscar a papá. 10

ALFREDO

Es que entonces quedo yo... Ya te lo dije.

RODOLFO

También te dije que no acepto sacrificios injustos.

ALFREDO

¡Eres un majadero!

RODOLFO

La solución de mi vida está en una sola cosa. ¡Y ésa es la que quería consultar contigo! 15

ALFREDO

¡Pues di lo que sea! ¡Soy todo oídos!

RODOLFO

Yo he pensado, Alfredo, que debo casarme.

ALFREDO

¡Hombre, sí! ¡En tu caso, y pensando mucho con quién, es una solución el matrimonio!

RODOLFO

5 ¿Así que tú apruebas mi proyecto?

ALFREDO

¿Cómo no? ¡Si me parece admirable!

RODOLFO

¡Bravo! Pues aún te va a parecer más admirable cuando sepas otra cosa.

ALFREDO

¡A ver! ¡Di, que ya voy interesándome!

RODOLFO

10 Pues que mi matrimonio, además de ser una alta conveniencia para mi porvenir, será la grata realización de un viejo sueño de amor.

ALFREDO

¿Qué me cuentas? ¡Si me parece que estoy leyendo una novela!

RODOLFO

Novela es la vida, hermano, y de las más complicadas...

ALFREDO

¿Pero ella, la escogida, sabe ya?...

RODOLFO

A medias... Lo que debe haber adivinado... Porque como hablar, yo no he hablado todavía... Quería antes consultar contigo... 5

ALFREDO

Pues mi opinión es que le hables en seguida. Y si te quiere — como te querrá —, con la noticia de tu boda, doy yo la de la mía.

RODOLFO

Pero ¿tú también te casas?

ALFREDO

¡Claro está! ¿Te imaginas que nada más que los ciegos 10 piensan en eso? ¡Pues no faltaba otra cosa!...

RODOLFO

Pero, di, ¿cómo se llama ella? ¿cómo se llama?

ALFREDO

Pues se llama... ¡No! ¡Primero di el nombre de la tuya! Eres el hermano mayor, y los mayores en edad...

RODOLFO

¡No quiero! Primero ha de decirse el nombre de la que ya está segura... Porque la mía todavía se ignora lo que dirá.

ALFREDO

¡Qué ha de decir! ¡Que sí! ¡Y poco satisfecha que estará de ser la mujer de un héroe, de un hombre que se ha sacrifi-
5 cado por la humanidad!

RODOLFO

¡Sí, yo creo que ella me quiere! ¡Yo siento que será mía! Dios es muy bueno para consentir que yo sufra esa decepción. Porque te juro que perder el amor de esa mujer sería para mí como perder la vida.

ALFREDO

10 Ya se ve que la quieres, y ahora es cuando tengo empeño en saber su nombre. ¡Dilo, Rodolfo!

RODOLFO

¿Por qué no? Esa mujer, hermano mío, ésa por quien bendije haberme salvado, ésa que iba escondida en mi corazón en los días crueles de la lucha, es Adela, Adela,
15 Adela... (ALFREDO *ahoga un grito y queda paralizado.*) ¿Verdad que es digna de mi amor? ¿Verdad que me querrá con ternura? ¡Vamos, di!

ALFREDO

(*Balbuciente.*) Espera... Espera...

RODOLFO

¿Te pasa algo?

ALFREDO

¡No!... No... ¡La sorpresa!...

RODOLFO

En resumen, ¿qué me dices?

ALFREDO

Que sí... Que Adela es digna de todo amor...

RODOLFO

¡Gracias, hermano mío! ¡Cuánto te agradezco esas palabras! Ahora di cuál es tu novia. 5

ALFREDO

¿La mía?...

RODOLFO

¡Sí! ¿Cómo es su nombre?

ALFREDO

¿Su nombre?... Pues... Nena... La hermana de Antonio...

RODOLFO

¿Una señorita que estaba aquí el día de mi llegada? 10

ALFREDO

Sí... Ésa...

RODOLFO

¡Pues venga un abrazo, hermano, por la dicha de los dos! (ALFREDO *no se mueve.*) ¿Dónde estás que no vienes? ¿No quieres abrazarme?

ALFREDO

¡Sí, sí, hermano mío! ¡Aquí están mis brazos! (*Se levantan*
5 *ambos personajes, y* ALFREDO *abraza emocionado a* RODOLFO.) ¡Y mira con qué fuerza te aprieto! ¡Como te apretaba el día en que murió nuestro padre! ¡El día de nuestro gran dolor! (*Llora convulsivamente.*)

RODOLFO

¡Pero no llores, que hoy no hay dolor! ¡Hoy es alegría
10 para todos!

ALFREDO

¡Es que las alegrías muy grandes duelen en el corazón como si fueran penas! Y en las grandes tristezas, como en las grandes venturas, no hay más que lágrimas... (*Quedan abrazados. Pausa.*)

ESCENA ÚLTIMA

Dichos, y DOÑA JUANA

JUANA

15 ¡Oh, hijos míos! ¡Unidos! ¡Abrazados! ¡Qué alegría verles así!

RODOLFO

¡Madre!

ALFREDO

¡Madre! (*Van a ir hacia ella.*)

JUANA

¡No! ¡Quédense juntos! ¡Siempre juntos! ¡Con una unión más fuerte que todas las discordias de la vida! ¡Ay, si ese abrazo no se rompiera nunca! (*Los dos hermanos permanecen* 5 *abrazados, y la madre, algo más lejos, alza los brazos y los ojos al cielo. Telón.*)

FIN DEL ACTO SEGUNDO

ACTO TERCERO

Acto Tercero

La misma decoración de los actos anteriores

ESCENA PRIMERA

DOÑA RITA, NENA *y* ANTONIO

(DOÑA RITA *aparece sentada;* NENA *y* ANTONIO *penetran por el foro*).

NENA

¡Doña Rita!

RITA

¡Hija mía! (*La besa.*)

ANTONIO

(*Dándole la mano a* RITA.) ¡Señora!...

RITA

¿Cómo vamos, pollo? (*Siéntanse* NENA *y* ANTONIO.) Aquí me tienen ustedes, esperando por doña Juana y Adela, que han salido. 5

NENA

¿Ah, sí? ¡Nosotros que veníamos a saludarlas!...

RITA

Dice la criada que volverán en seguida... Mientras llegan, charlaremos un poco...

ANTONIO

Tenemos empeño en ver a doña Juana, porque desde el día que llegó Rodolfo, no hemos podido volver a verla.

RITA

5 Y eso que dicen que está empalagosísima con el regreso del héroe. Las de Picatoste me dijeron que no habla más que del muchacho, y que ellas se aburrieron muchísimo con la conversación.

ANTONIO

Verdaderamente es una inconveniencia el sacar a relucir 10 tanto los merecimientos. Y eso si merecimientos hay, porque a mí me han dicho...

RITA

¿Qué le han dicho? ¡Cuente! ¡Cuente!

ANTONIO

Temo que vayan a oírme... Pero por ahí se dice que Rodolfo no hizo nada de extraordinario en la guerra. De 15 modo que tanto repique me parece un exceso.

NENA

Sin embargo, (*A* ANTONIO) el que ha vertido esa especie tú bien sabes que es un envidioso y que no puede dársele crédito.

ANTONIO

Sí, es verdad, lo ha dicho Juanito Carrasco...

RITA

Entonces hay que ponerlo en cuarentena. Aunque en este caso me inclino a creer que tiene razón Juanito. Ya lo dice el refrán: «piensa mal y...»

NENA

Pero el pobre muchacho ha venido ciego... 5

ANTONIO

Ciego se queda cualquiera, sin ir a la guerra...

RITA

¡Ésa es la verdad!

ANTONIO

Desengáñate, Nena, bien miradas las cosas, miradas con los ojos con que las vemos nosotros, el mérito de Rodolfo se disminuye, como el de tantos otros héroes de confección 10 doméstica.

RITA

Por eso la mamá y el hermanito deben ir rebajando un poco los humos.

ANTONIO

El hermanito, sobre todo, que como es un mequetrefe todavía, un *fiñe*, está queriendo coger el cielo con las 15 manos.

RITA

Rodolfo ha sido un novelero. ¡Pregunta tú qué falta hacía en Francia un soldado más!

ANTONIO

Afán de significarse, de figurar... Yo, por eso, no hubiera ido a la guerra... Es decir, por eso y... por lo otro: por mi 5 corazón, que ya saben ustedes...

RITA

¡Y que no fué poco florido el recibimiento!... ¿No lo recuerdan ya? ¡Adela había puesto esta sala que parecía el *Jardín Botánico*!

ANTONIO

¡Es que Adela es una cursi!

NENA

10 En eso sí estoy de acuerdo: ¡muy cursi y muy antipática! ¡Y siempre metiéndose por los ojos de Alfredo!

RITA

¡Claro, hija! ¡Para asegurarse el porvenir! ¿Tú crees que la niña es boba?

ANTONIO

Y que come a dos carrillos, porque al mismo tiempo que 15 está junto a Alfredo, llena de flores el salón para esperar a Rodolfo... Es lo que ella dirá: por si uno fracasa, hagamos méritos con el otro...

NENA

Sólo que se llevó el gran chasco, porque el hombre no se enteró de que había flores en la sala...

RITA

Sí, pero a mí me han dicho las de Picatoste que, en el fondo, de los dos hermanos, el que le gusta a Adela es Rodolfo, pero que ella no hace preferencias por ninguno 5 para poder coger de los dos al que se decida por ella.

NENA

Lástima que sea ése Alfredo. Y no porque a mí me importe él ni un ápice, sino porque Alfredo merece una señorita de sociedad como yo y no una cursi como Adela, que nadie sabe de dónde ha salido... 10

RITA

Pues no es Alfredo el que le gusta a ella... Ya sabes lo que dicen las de Picatoste, que se enteraron por una criada que salió de aquí y se acomodó con ellas. ¡Oh, esa criada contaba cosas estupendas! Decía que Adela... (*Mirando hacia el jardín.*) Pero... disimulemos ahora, porque ahí viene don 15 Fermín, y ese vejestorio ya saben ustedes cómo es.

NENA

Sí, disimulemos.

ANTONIO

Disimulemos.

ESCENA II

Dichos, y DON FERMÍN

FERMÍN

¡Señores! (*Saludando.*)

RITA

¡Querido doctor!...

FERMÍN

¡Cuánto bueno por esta casa! (*Se sienta.*) ¿Hoy no hay consulta preparada, doña Rita?

RITA

5 Ninguna, don Fermín. ¿Para qué? Si echa usted mis padecimientos a broma...

FERMÍN

En apariencia, doña Rita. Porque yo sé que todos estamos enfermos en la vida, como dijo el poeta. Pero... excúseme usted porque le hablé de poesía. Usted me ha 10 dicho que no le gusta ese tema, porque es usted una mujer práctica y positivista.

RITA

¡Si, señor! ¡Y no me retracto!

ANTONIO

Es positivista, como nosotros, don Fermín.

FERMÍN

¡Ya sé yo que ustedes y doña Rita son iguales en eso... y en otras cosas más! Apostaría, como buena prueba de ello, que estaban ustedes conversando en la más encantadora de las armonías... ¿Me equivoco?

ANTONIO

¡No, señor! ¡No se equivoca usted! 5

FERMÍN

¡Soy un zahorí! ¡Soy un zahorí! Continuaré adivinando. Conversaban ustedes armónicamente, y como son ustedes personas de bien, esa armonía se conservaba porque hablaban ustedes en son de elogio y sin daño de tercero... ¿Sigo adivinando, o me ha fallado la doble vista! 10

RITA

No, doctor, no... Está usted en lo cierto...

FERMÍN

¡Es que les conozco!... ¡Es que les conozco!... ¡No es sólo la doble vista!...

RITA

¡Sí, todos nos conocemos!

FERMÍN

Claro que entre tanta miel siempre se deslizaría tal cual 15 gotita de acíbar, porque tampoco conviene dejarse cegar por la amistad o el cariño, ni ponerse en ridículo viendo las cosas como no son...

ANTONIO

En eso está más acertado todavía. ¡Sí, señor! ¡No hay que dejarse cegar!

FERMÍN

5 ¡Naturalmente que no! La amistad no debe extremarse demasiado. No debe caer en ridículas chocheces de abuela. Hacen ustedes bien en estar siempre en guardia. Y — adivinaciones a un lado — ¿de qué hablaban? ¿De qué hablaban?

NENA

10 Pues hablábamos de...

RITA

De las personas de esta casa.

FERMÍN

¡Ah, lindo tema! Ya oigo las alabanzas que harían ustedes del pobre Rodolfo, que sólo por haber abandonado su casa y su tierra, ya merece elogios. Y lo que lamentarían el dolor 15 de la pobre madre, que vió llegar al hijo, con vida, sí, pero con los ojos ciegos. Porque yo sé que ustedes no son como tantos otros, que cuando se habla del mérito ajeno se ponen a buscar argumentos con que empequeñecerlo. Sé que ustedes son generosos, que saben admirar lo que merece 20 admiración, y máxime cuando aquello que se celebra es suyo, es de su patria, porque esa gloria no es de uno solo: ¡esa gloria es de todos!

RITA

¡Desde luego!

ANTONIO

¡Así lo estimamos nosotros!

NENA

¡Claro está! 5

FERMÍN

Si ya lo sé... Si no tienen ustedes que decírmelo... Lo que yo deploro es que no todo el mundo sea como ustedes... Créanme que si las personas como ustedes abundaran..., ¡yo me mudaría a otro planeta!

RITA

¡Doctor! 10

FERMÍN

¡Sí, señora, sí! ¡Porque sería una felicidad superior a la resistencia humana! El hombre no está acomodado para una vida tan perfecta. ¿No ha oído usted decir que la felicidad mata? ¡Pues una felicidad así me mataría!

RITA

¡Usted sabrá lo que dice! 15

ANTONIO

¡Naturalmente!

NENA

¡Ya tiene edad para eso!

FERMÍN

¡Miren con qué sutileza me ha llamado viejo esta niña! Pero aprovecharé la oportunidad para hacerte una pregunta propia de viejo. ¿Cuándo te casas, Nena!

NENA

5 Cuando alguien venga a hablarme de amor. Sí, porque yo no soy de las que se insinúan, don Fermín... De las que llenan de flores una casa, para ver si pescan un pretendiente.

FERMÍN

¿Sí? ¡Pues, mira, haces muy mal!

NENA

10 ¿Por qué?

FERMÍN

¡Porque así no te has casado! ¡Yo tú variaba de táctica!

NENA

¡Lo intentaré, don Fermín!

RITA

¡Es que no es ninguna deshonra el quedarse solterona!...

FERMÍN

Deshonra no, doña Rita. Pero es que por lo regular las solteronas ya sabe usted lo pécoras que se vuelven...

RITA

¡Mire usted que yo estoy en el gremio!

FERMÍN

Ya lo sé, pero a usted no aludía. Ya sabe usted que cuando se habla de algún vicio, nunca se quiere señalar con 5
él a los que están presentes.

RITA

¿Porque no tienen el vicio?

FERMÍN

¡O porque están presentes!... ¡Vaya usted a saber!

ESCENA III

Dichos, ADELA *y* DOÑA JUANA

JUANA

¡Amigos míos! ¡Qué pena que nos hayan ustedes esperado! ¿Cómo están? 10

RITA

Perfectamente. Muy entretenidos con el doctor, su amigo de usted... (*Saludos. Todos en pie.*)

JUANA

Pero siéntense, ¿no?

RITA

¡Ya es imposible, doña Juana! (*A* NENA.) ¡No se queden ustedes! ¡El doctor está muy inconveniente!

NENA

¡Se nos haría demasiado tarde! (*A* ANTONIO.) ¡Di que nos
5 vamos!

ANTONIO

¡Queda aplazada la visita!

JUANA

Es que nos demoramos mucho en la calle...

ADELA

Como teníamos tanto que hacer...

JUANA

Fuí a ordenarle algunos trajes a la modista... Estoy sin
10 ropa... Como hacía tanto tiempo que no me ocupaba de eso, con la pena de saber a mi hijo en la guerra...

RITA

Sí, pero ya el hijo ha vuelto y hay que pensar en componerse...

JUANA

¡Componerse dice!... ¡Como si a mis años valieran los
15 alifafes!...

RITA

¡A sus años!... ¡Ni que fuera usted una vieja!...

FERMÍN

¡Claro, doña Juana! Recuerde usted que doña Rita y usted son contemporáneas.

JUANA

¡Este doctor!...

RITA

Sí, es un estuche... Un estuche... de médico... ¡Con bisturí, y todo! 5

ANTONIO

¿Pero nos vamos o no?

RITA

¡Nos vamos! ¡Nos vamos! Adiós, amiga mía, (*A* DOÑA JUANA) y recuerdos al héroe. (NENA *y* ANTONIO *se despiden también.*) Adela, que sigas tan bonita... Doctor... 10

FERMÍN

¡Cuidado, cuidado con el bisturí! (*Alejándose un poco.*)

RITA

¡No le temo a los pinchazos! ¡Los pinchazos no matan!

ANTONIO

¡En marcha!

NENA

¡Adiós, todos!

JUANA

¡Adiós¡ ¡Adiós! (*Vanse* DOÑA RITA, NENA *y* ANTONIO *por el foro.*) Y ahora, doctor, una súplica: ¿va usted a permitirnos dejar nuestros bártulos allá dentro?

FERMÍN

5 ¡Sí, señora! ¡Vaya usted a su cuarto y quédese en él todo lo que guste! ¡Lo mismo que usted, Adela! Vienen ustedes de la calle y necesitan descanso.

JUANA

Pues con su permiso, amigo mío.

ADELA

¡Es usted muy amable, doctor!

FERMÍN

10 Entre nosotros están de más los cumplimientos. (ADELA *entra en su cuarto.* DOÑA JUANA, *al llegar a la puerta del suyo, retrocede.*)

JUANA

Y, antes que se me olvide: ¿qué hubo de la entrevista?

FERMÍN

¿De la mía con Adela? ¡Nada, en resumen, doña Juana!
15 Sin embargo, yo seguiré sondeándola hasta ver lo que descubro.

JUANA

¡Sí, doctor, sí, y Dios le pague el favor! ¡Ya sabe cuánto deseo el cariño de Adela para mi pobre ciego! (*Suena el violín.*) ¡Ah! ¡Ya está ahí!

FERMÍN

¿Quién, doña Juana?

JUANA

El otro ciego, el que me pide limosna... Perdone, doctor, perdone, pero corro a darle su moneda... (*Vase, cerrando tras sí la puerta.*) 5

FERMÍN

¡Pobre madre! ¡Comprendo su interés! (*Pausa breve. En el umbral de su cuarto, aparece* ALFREDO, *con el traje en desorden, pálida la fisonomía y despeinado el cabello.*) 10

ESCENA IV

DON FERMÍN *y* ALFREDO

ALFREDO

(*Desde la puerta.*) ¡Doctor! ¡Doctor!

FERMÍN

¿Qué quieres? ¿Qué te pasa?

ALFREDO

¿No hay nadie por ahí?

FERMÍN

Nadie. Pero ¿qué te sucede?

ALFREDO

Espere usted. (*Viene hacia* DON FERMÍN.)

FERMÍN

Estás pálido... Tu pulso abrasa... ¿Qué tienes, hijo mío? ¿Qué tienes?

ALFREDO

5 Todo lo sabrá usted, don Fermín, pero déjeme tomar aliento para hablar.

FERMÍN

Siéntate, y tranquilízate. (*Ambos personajes se sientan.*) Todo ello no será nada. Los jóvenes, con la vehemencia de sus años, ven las cosas peores de lo que son.

ALFREDO

10 No, don Fermín, esto es muy grave, ¡muy grave!

FERMÍN

¿Pero, Alfredo?...

ALFREDO

Escuche usted. Desde hace tiempo, estoy queriendo a Adela, queriéndola mucho, don Fermín, queriéndola con toda mi alma, y cuando iba a contarles a todos ese amor, 15 cuando iba a darle caracteres de verdadera seriedad, llega mi hermano, y llega para decirme que su última esperanza será el cariño de Adela, de la mujer a quien yo también amo, y la que no sé cómo disputarla a un pobre ciego, que, sin esa ilusión, se morirá de tristeza.

FERMÍN

¿Pero Rodolfo ha dicho?... 5

ALFREDO

Ha dicho que ama a Adela, y me lo ha dicho a mí, a mí, y no he sabido qué responderle: me he quedado inmóvil, petrificado, idiota... ¡Ah, si no hubiese sido mi hermano o hubiese habido luz en sus ojos!... ¡Entonces me hubiera usted visto arrancarle la lengua con que hablaba amoro- 10 samente de la mujer que es mía, y pisotear contra las losas del suelo aquel pedazo de carne ruin; pero contra él, contra mi hermano, contra un ciego, nada sé, nada puedo, nada valgo!...

FERMÍN

¡Es grave el caso! ¡Tenías razón! 15

ALFREDO

¡Tan grave, que no sé cómo resolverlo! Las ideas más contrarias se entrechocan en mi cerebro. ¿Qué hago, don Fermín, qué hago? ¿Perder el amor de Adela, o defenderlo contra mi hermano, pase lo que pase? ¡Alúmbreme usted, hábleme como si fuera mi padre, ya que él no puede aconse- 20 jarme, porque a donde él está no llegan las voces de la vida!

FERMÍN

¿Aconsejarte, hijo mío? ¿Y yo qué voy a aconsejarte? Este dilema no puede resolverlo más que tu propia conciencia: como ella te aconseje, así procede.

ALFREDO

¡Mi conciencia!... ¡Ojalá no hablara más que ella en mi
5 alma!... Pero otras voces hablan en mí al mismo tiempo, y me confunden, y me anonadan. Hablan mi corazón, mi voluntad y mi deseo, inclinándome todos a no ceder, moviéndome al triunfo egoísta de mi amor. Y cuando estas voces suenan muy alto, el espíritu de rebelión se apodera de
10 mí, y digo: ¡no! ¡no cedo! ¡esa mujer es mía! ¡ante todo, esa mujer!

FERMÍN

¡No grites, por piedad!

ALFREDO

Porque yo también pienso que esa mujer a quien le pertenece es a mí. Si Rodolfo pierde su cariño, todos
15 en cambio le miran como un héroe, y vaya lo uno por lo otro. Para mí no hay más gloria que ese amor. (*Pausa.*) ¿Verdad, don Fermín? ¡Dígame usted que sí! ¡Dígame que tengo razón! ¡O dígame que no tengo, y que soy un egoísta, un infame y un malvado! ¡Cualquier cosa antes
20 que ese silencio, peor que... la palabra más dura!

FERMÍN

Me callo porque en realidad no sé qué decir. Si te aconsejo que te sacrifiques por tu hermano — que equivale a sacrificarte por tu propia madre, y tú bien sabes por qué —, me contestarás — y con razón — que la justicia te asiste en tu amor por esa mujer y que tú tienes el derecho de amarla. Y si por el contrario te inclino a no ceder, a defender egoístamente lo que es tuyo, me digo yo a mí mismo 5 entonces que tu pobre hermano se morirá de dolor, y con él tu madre, tu buena madre, que yo sé cuánto anhela ese enlace.

ALFREDO

¡Si lo sé, don Fermín, si lo sé!... Si nada de lo que usted dice se me ha ocultado... Que sufrirá mi hermano... Que se 10 morirá mi madre... Y que todo será por mí... ¡Por mi egoísmo! ¡Por mi dureza! ¡Por mi maldad!... Porque yo no soy un ciego, como Rodolfo... Y encontraré muchas mujeres dispuestas a quererme... Mientras que él, sin vista... ¡Pobre hermano mío!... ¡Pocas serán las mujeres dispuestas 15 a ser el triste lazarillo de un ciego!

FERMÍN

Pocas, hijo mío... Vivimos en una época egoísta y en una tierra egoísta también... Nuestras mujeres buscan en el matrimonio acomodo, cambio favorable de posición, y no están dispuestas a ver en su vida de esposas una cruz 20 difícil de cargar. ¡Ellas, en vez de una cruz que cargar quieren un automóvil... que las cargue! ¡Y Adela no es de éstas!

ALFREDO

¡Pero ésa es otra, don Fermín: Adela, precisamente Adela! ¿Qué sabemos de su corazón? ¿Vamos a manejar los 25 sentimientos de su alma lo mismo que las fichas de un tablero de ajedrez? ¿Con qué palabras voy yo a decirle que el cariño que me profesaba a mí se lo traspase ahora a mi hermano, como si se tratara de una posesión material, de 5 una casa, de una finca, de una joya?...

FERMÍN

Eso depende del cariño que Adela sienta por ti. Si la muchacha está apasionada, la cosa resulta un poquito fuerte de decir; pero si se trata de una ilusión pasajera, de un mero flirteo, entonces, hijo mío, no será para ella 10 penitencia de mártir tu resolución, y sin causarle a ella ninguna pesadumbre, habrás hecho inmensamente felices a dos seres.

ALFREDO

Sí, es verdad, todo estriba en eso: en la magnitud del cariño de Adela. Y, si he de ser sincero, a ella no puedo 15 tildarla en justicia de ingrata, pero lo que me ha demostrado siempre ha sido más bien una ternura de hermana, que un cariño de mujer. Rodolfo, en cambio, tiene la seguridad de que ella le ama. Cuando me habló de Adela, por momentos dudaba de su cariño, pero siempre acababa 20 por reafirmarse en su certidumbre, y cuando él piensa así, serios motivos tendrá. Y no sólo eso, don Fermín, sino más, mucho más.

FERMÍN

¿A qué quieres referirte, hijo mío?

ALFREDO

A mil y un detalles que ahora flotan como partículas de lumbre ante mis ojos y que me hacen sospechar que Adela ama en secreto a mi hermano.

FERMÍN

Pues ahora que dices eso me atreveré a confesarte que sí, que tienes razón, que Adela sentirá por ti un cariño fra- 5 ternal, si se quiere, pero no el mismo que tú sientes por ella.

ALFREDO

¡Ah, usted lo confirma, don Fermín! ¡Y lo confirma usted porque lo sabe! ¡Acaso porque Adela misma se lo ha dicho! Sí, sí, Adela no me quiere a mí, sino a Rodolfo... ¡Antes debía haberlo yo comprendido!... Pero es que cuando una 10 verdad es triste no sabemos afrontarla cara a cara... La alejamos a manotazos, como a pájaro de mal agüero... ¡Y esto no es de hombres! Debemos saber abrir nuestra puerta a la verdad, cuando llama a ella, aunque sea para traernos el dolor... ¡No alejar nuestros cobardes labios de sus linfas 15 amargas, sino beber en sus aguas heroicamente, porque sus fuentes no son dulces, pero curan el alma, y la templan, y la fortifican!... Yo beberé en ellas, don Fermín, beberé... heroicamente, como decía, porque hay muchas maneras de heroísmo en el mundo, y yo quiero ser héroe también, 20 ¡héroe como mi hermano! La guerra acabó, y ahora sonríe la paz, pero el heroísmo de las almas no acaba nunca. Adela será de Rodolfo, porque los dos se aman y porque yo no he de servirles de obstáculo, y con el amor de esa mujer tendrá mi hermano la suprema recompensa de su abnega- 25

ción por los hombres. Ya no dudo, ya no tiemblo, ya no vacilo; una alegría inmensa inunda mi corazón: es la alegría de la generosidad, del sacrificio, de sentirse libre del cieno de todo humano egoísmo, un día, una hora, un ins-
5 tante... (*Llamando.*) ¡Adela! ¡Adela! ¡Adela! (*A* DON FERMÍN.) ¡Que venga pronto esa mujer!

ESCENA V

Dichos, y ADELA

ADELA

(*Sobresaltada.*) ¡Alfredo! ¿Me llamaste? ¿Qué quieres?

ALFREDO

Que contestes favorablemente a todo lo que vas a oír; y que veas lo que veas, no lances ni una palabra de asombro.

ADELA

10 (*A* ALFREDO.) ¿Pero qué sucede? (*Volviéndose a* DON FERMÍN.) ¿Qué pasa, don Fermín?

ALFREDO

¡No preguntes a nadie!... Pregúntale a tu propio corazón lo que hay en él; que, para mi resolución de ahora, importa mucho, ¡pero mucho!, su respuesta.

ADELA

15 ¡No comprendo!

ALFREDO

¡Ahora lo entenderás todo! (*Llamando.*) ¡Rodolfo! ¡Rodolfo!

RODOLFO

(*Dentro.*) ¿Qué quieres, hermano?

ALFREDO

¡Ven aquí!

ADELA

¿Pero para qué llamas a Rodolfo? 5

ALFREDO

¡Para ser héroe yo también!

ESCENA VI

Dichos, y RODOLFO

ALFREDO

(*Guiando a* RODOLFO.) Acércate, hermano... Te llamé para una sorpresa, para una sorpresa muy grande... ¿Tú recuerdas tus palabras de ayer?

RODOLFO

(*Con alegría.*) ¡Sí! ¡Sí, hermano! 10

ALFREDO

¿Recuerdas que me dijiste que amabas a Adela?

ADELA

(*Estremeciéndose.*) ¿Qué? (DON FERMÍN *la contiene.*)

RODOLFO

Sí... Pero, oye: ¿No nos escuchan?

ALFREDO

¿Qué importa ya? Si yo he hablado a Adela, (*Ésta quiere interrumpirle, pero* DON FERMÍN *no la deja.*) y Adela está
5 conforme en quererte, y sólo falta que mamá lo sepa...

ADELA

¡Ah! (*Confundida, se cubre el rostro.*)

RODOLFO

(*Con exaltación.*) Pero ¿es de veras, Alfredo? ¿El ideal de mi corazón se realiza? ¿Adela quiere al pobre ciego que sueña con su amor?

ALFREDO

10 Sí, sí, Adela te quiere, como tú la quieres a ella. No ha necesitado decírmelo, porque yo lo he adivinado en sus ojos. Y como esa mujer es la única ilusión que te queda, yo mismo la traeré a tus brazos.

RODOLFO

¡Si me parece imposible! ¡Si creo que estoy soñando!

ALFREDO

15 Y, en buena prueba de mis palabras, aquí la tienes, hermano... (*En la forma que parezca más adecuada al actor, trae a* RODOLFO *a los brazos de* ADELA.)

RODOLFO

¡Adela! ¡Adela! ¡Amor mío! ¿Eres tú?

ADELA

(*Con inmensa vacilación.*) Soy yo... Yo, Rodolfo...

RODOLFO

¿Y es verdad, es cierto que me quieres?

ADELA

(*Mira a* ALFREDO *y dice con timidez.*) Sí... (*Después, dejando explayarse su ternura y rompiendo a llorar, añade* 5 *lo que sigue.*) ¡Sí!... ¡Con toda el alma!... (*Los dos jóvenes se abrazan.* ALFREDO *se postra en una silla.*)

FERMÍN

(*A* ALFREDO.) ¡Triunfaste, hijo mío! ¡Ya eres un héroe!

RODOLFO

(*Gritando.*) ¡Mamá! ¡Mamá! ¡Ven! ¡Ven pronto!

FERMÍN

¡Levántate, Alfredo! ¡Valor, valor para llegar hasta el fin! 10

ALFREDO

(*Alejándose.*) ¡Es verdad! ¡Valor!

ESCENA FINAL

Dichos, y DOÑA JUANA

JUANA

¡Hijo mío!

RODOLFO

¡Mamá! ¡Abrázame! ¡Soy feliz!

JUANA

¿Será que Adela?...

RODOLFO

¡Me quiere! ¡Ya no me muero solo! ¡Ya no pediré li-
5 mosna, como el ciego del violín!

JUANA

¡Hijos míos! ¡Qué dichosa soy! (*Abrazándoles.*)

RODOLFO

¡Y todo se lo debo a Alfredo, a mi hermano!

JUANA

¡Qué bueno eres, hijo! ¡Tan bueno como Rodolfo!

FERMÍN

¡Sí, señora! ¡Tan bueno... y tan héroe como él!

TELÓN

Ejercicios

I

I. Cuestionario basado en el texto — páginas (3–6)

1. ¿Cómo se llama esta obra dramática? 2. ¿Quién es el autor? 3. ¿De qué país es el dramaturgo? 4. ¿Dónde tiene lugar el drama? 5. ¿Cuándo empieza el acto primero? 6. ¿A quién esperan doña Juana y Adela? 7. ¿Qué bien hizo doña Juana por Adela? 8. ¿Por qué cree Adela que el cielo no puede hacer mal a doña Juana? 9. Según Adela, ¿por qué había de ser generoso el hijo de doña Juana? 10. ¿Por qué se despide de Adela doña Juana?

II. Substitúyase la raya con la forma conveniente del presente de indicativo del verbo que está al margen:

sentarse	1. Doña Juana ________ ________.
devolver	2. Dios lo ________ con vida a mis brazos.
poder	3. El cielo no le ________ a usted hacer mal.
bastar	4. ________ saber lo que ha hecho usted conmigo.
ser	5. Toda ocasión ________ buena.
saber	6. Las cosas de la vida se ________ allá.
deber	7. ¡Aún ________ estar mi padre dándole gracias!
estar	8. Para eso nosotros ________ en la vida.
dar	9. Dios le ________ a cada uno lo suyo.
decir	10. Tú ________ bien.

III. Úsense en oraciones los modismos siguientes:

1. estar frente a
2. dar a

3. a la derecha
4. dar gracias a
5. de cuando en cuando
6. al ver
7. ser de
8. haber de
9. otra vez
10. irse

II

I. Cuestionario basado en el texto — páginas (7–12)

1. ¿Por qué ha dormido bien Alfredo? 2. Según Adela, ¿por qué no debe Alfredo compararse con su hermano? 3. ¿Por qué le hiere a Alfredo lo que dice Adela acerca de él y de su hermano? 4. Según Alfredo, ¿qué es lo verdadero del alma? 5. ¿Cómo sabe Adela que el hermano de Alfredo le quiere a éste? 6. ¿Desde cuándo le gusta Adela a Alfredo? 7. ¿Por qué cree Alfredo que se ha picado Adela? 8. ¿Cómo explica Alfredo que su hermano nunca se consintió esas libertades con Adela? 9. Según Alfredo, ¿cómo descubre la mujer su cariño? 10. ¿Por qué no llama Adela a doña Juana?

II. Substitúyase la raya con la forma conveniente del pretérito del verbo que está al margen:

salir	1. Su madre ________ a misa.
pegar	2. Las sábanas se me ________.
decir	3. Tú no me lo ________.
ver	4. Yo no te ________.
ser	5. Tú ________ muy atrevido.
tener	6. Mi hermano ________ mucho tiempo.
sentir	7. El alumno no ________ la necesidad de hacerlo.
estar	8. Los dos jóvenes ________ juntos.
dar	9. Nosotros no le ________ el dinero.
querer	10. Mi hermano no ________ decírmelo.

III. Úsense en oraciones los modismos siguientes:

1. dar gracias a
2. hacer caso de
3. claro que
4. valer más
5. ponerse colorado
6. por dentro
7. por fuera
8. dar a entender
9. acercarse a
10. dar la gana (de)

III

I. Cuestionario basado en el texto — páginas (13–19)

1. ¿Quién es don Fermín? 2. ¿Por qué sale Alfredo? 3. ¿Por qué no le acompaña doña Juana? 4. ¿Por qué no podía haber un acontecimiento tan grande como el regreso de Rodolfo sin la presencia de don Fermín? 5. ¿Cómo explica doña Juana que don Fermín los ha querido tanto a ella y a sus dos hijos? 6. ¿Cómo lo explica don Fermín? 7. ¿Se parece Rodolfo a su padre? 8. ¿Quiénes consolaron a doña Juana durante la ausencia de Rodolfo? 9. ¿Se entristeció Adela con la ausencia de Rodolfo? 10. Según doña Juana, ¿cuál de sus dos hijos se interesa más por Adela? 11. ¿Por qué nunca lo dijo éste? 12. Según don Fermín y doña Juana, ¿cuáles son las diferencias entre los jóvenes de hoy día y los de su tiempo?

II. Substitúyase la raya con la forma conveniente del imperfecto de indicativo del verbo que está al margen:

ir	1. ________ a emocionarse mucho.
tener	2. Tú me ________ cogida la mano.
poder	3. No ________ haber un acontecimiento tan grande.
sentir	4. ¡Con aquel entusiasmo que él ________ por Francia!
caer	5. La casa se me ________.
velar	6. Adela ________ por mí a todas horas.
interesar	7. Rodolfo se ________ más por ella.

ser — 8. En nuestro tiempo ________ más comedidas.

haber — 9. ¡________ de todo!

estar — 10. El muchacho ________ con la obsesión de irse a la guerra.

III. Úsense en oraciones los modismos siguientes:

1. por eso
2. estrechar la mano a
3. por poco
4. ¡ya lo creo!
5. interesarse por
6. tal vez
7. hoy día
8. por aquel entonces
9. tener razón
10. ¡vamos!

IV

I. Cuestionario basado en el texto — páginas (20–28)

1. ¿Cuál es la enfermedad de Rita? 2. ¿Por qué no fué Antonio a Francia? 3. Según don Fermín, ¿cuál es la enfermedad del corazón de Antonio? 4. ¿Había muchos como Antonio? 5. Según don Fermín, ¿por qué trabajaba Nena por la Cruz Roja? 6. ¿Por qué no se molestó Rita por la guerra? 7. ¿Cuál es la moraleja del cuento acerca de la señora y San Cayetano? 8. ¿Qué verdad quiere el doctor poner en claro? 9. ¿Qué quiere Rodolfo que haga su madre? 10. ¿Por qué no puede andar solo?

II. Substitúyase la raya con la forma conveniente del perfecto de indicativo del verbo que está al margen:

tratar — 1. Ellos ________ ________ de eludir sus deberes.

conseguir — 2. Nosotros lo ________ ________.

abrir — 3. ________ ________ nuestra mano al desvalido.

luchar — 4. Nosotros ________ ________ cara a cara con otra nación.

volverse 5. El doctor ________ ________ ________ romántico.
ver 6. Yo le ________ ________.
llegar 7. ¡Al fin tú ________ ________!
decir 8. ¿Qué ________ ________ mi hijo?
poder 9. Mi hijo no ________ ________ andar solo.
ir 10. Vd. no ________ ________ a Francia.

III. Úsense en oraciones los modismos siguientes:

1. alegrarse de
2. burlarse de
3. por lo menos
4. acabar de
5. negarse a
6. no ... más que
7. acercarse a
8. al fin
9. por eso
10. dirigirse a

V

I. Cuestionario basado en el texto — páginas (31–34)

1. ¿Por qué no trae Adela flores? 2. Según Adela, ¿para qué se han hecho las flores? 3. ¿Por qué llora doña Juana? 4. ¿Cómo quiere doña Juana que Adela le demuestre gratitud? 5. ¿Necesita Adela este motivo para acercarse a Rodolfo? 6. ¿Por qué dice doña Juana que Adela es muy buena? 7. ¿Qué son lejano llega por la puerta? 8. ¿Cómo va a parecerle a doña Juana la limosna que dará al mendigo ciego? 9. ¿Por qué son tristes todos los pensamientos de doña Juana? 10. ¿Por qué sale doña Juana?

II. Substitúyase la raya con la forma conveniente del imperativo del verbo que está al margen:

llorar 1. ¡No ________ usted!
dejar 2. ¡________ tú que yo llore!
compadecerse 3. ¡________ tú mucho de él!
atender 4. ________ tú a mi hijo.
demostrar 5. ________ tu amor.

decir	6. ¡No ________ usted que hay que extremar las cosas!
pensar	7. ¡No ________ usted en esas cosas!
creer	8. ¡No lo ________ usted!
decir	9. ¡No lo ________ usted!
oír	10. ________ tú lo que dice tu hermano.

III. Úsense en oraciones los modismos siguientes:

1. servir de
2. a pesar de
3. ¡a ver!
4. en cambio
5. tener gusto en
6. junto a
7. hay que (plus infinitive)
8. a oscuras
9. a lo lejos
10. acercarse a

VI

I. Cuestionario basado en el texto — páginas (34–38)

1. ¿Qué preguntas hace Alfredo a Adela? 2. ¿Cómo le contesta Adela? 3. ¿Qué entristeció a Adela? 4. ¿Cómo quiere Alfredo que esté Adela? 5. Según Adela, ¿por qué no debe Alfredo alegrarse tanto? 6. ¿Por qué no ha de matar Alfredo la alegría de querer a Adela? 7. ¿Qué ha pensado Adela? 8. ¿Por qué no está conforme Alfredo? 9. ¿Le parece a Alfredo que Adela sabe lo que es querer? 10. ¿Cuándo quiere Adela que Alfredo dé la noticia de su noviazgo? 11. ¿Por qué se va Alfredo a su cuarto? 12. ¿Por qué cierra Adela la puerta?

II. Substitúyase la raya con la forma conveniente del presente de subjuntivo del verbo que está al margen:

decir	1. He pensado que nosotros no ________ nada de nuestros amores todavía.
sacrificar	2. Nadie te pide que ________ nada.
poder	3. ¡Ya deseo que nosotros ________ estar juntos!

clavarse 4. ¡No hay espina que ______ ______ tan adentro como la de un amor verdadero!

ser 5. No se anhela que no ______ eso.

ser 6. Dudo de que ______ amor.

decirse 7. ¡Qué no ______ ______!

llorar 8. No quiero que tú ______.

parecer 9. Esta tarde cuando te ______ oportuno, das la noticia.

sonar 10. Voy a enjaular mi alegría entre cuatro paredes para que no ______ mucho.

III. Úsense en oraciones los modismos siguientes:

1. pensar en
2. haber de
3. estar conforme con
4. por eso
5. tratar de
6. contar con
7. no más que
8. alegrarse (de)
9. casarse con
10. acercarse a

VII

I. Cuestionario basado en el texto — páginas (38–49)

1. Después de que Rodolfo se sienta, ¿qué quiere que Adela haga? 2. ¿Cuál es el piropo que Rodolfo dice a Adela? 3. ¿Por qué pudo Rodolfo aprender poco de amor y de galantería en Francia? 4. ¿Por qué no quiere Adela que Rodolfo piense en ella? 5. ¿Cómo describe Rodolfo a Adela? 6. ¿Qué pregunta de Rodolfo hace creer a Adela que puede ver? 7. ¿Cómo hace Adela creer a Rodolfo que se ha equivocado? 8. Según Rodolfo, ¿cuál es el primer deber de todos? 9. ¿Por qué quiere Rodolfo que Adela sea franca con él? 10. ¿Cómo describe Rodolfo las noches que pasó en Francia? 11. ¿Por allá sintió jamás que los suyos le miraban? 12. ¿Por qué quiere Adela que vaya al jardín? 13. ¿Qué plan anuncia doña Juana al doctor? 14. ¿Por qué quiere

que Adela se case con Rodolfo? 15. ¿Qué dificultad encuentra el doctor? 16. ¿Qué quiere doña Juana que el doctor haga?

II. Substitúyase la raya con la forma conveniente del futuro de indicativo del verbo que está al margen:

ser	1. ¡Ésos ________ los débiles!
oír	2. Yo las ________ con gusto.
preguntar	3. Yo se lo ________ a los pájaros.
poder	4. ¿Quién ________ velar por él?
ser	5. Esa niña ________ una esposa tierna.
echar	6. Nosotros ________ el anzuelo.
confiar	7. Mañana tú me lo ________.
aprender	8. Poco de amor vosotros ________ en Francia ahora.
valer	9. ¡Yo no ________ la pena!
abrir	10. Tú me ________ tu corazón.

III. Úsense en oraciones los modismos siguientes:

1. pensar en
2. valer la pena
3. volver a (plus infinitive)
4. valer más
5. a veces
6. no ... sino
7. hacer caso
8. ¡a ver!
9. haber de
10. ocuparse de

VIII

I. Cuestionario basado en el texto — páginas (50–57)

1. ¿Por qué quiere doña Juana que Rodolfo venga a su cuarto? 2. ¿Cómo describe Adela al doctor el paseo por el jardín? 3. ¿Por qué se niega el doctor a recorrer el jardín con Adela? 4. ¿Por qué cree el doctor que es un gran recurso ser siempre bromista? 5. ¿Cuál es la única cosa de la vida que ha quitado la risa al doctor? 6. ¿Qué pregunta hace el doctor a Adela? 7. ¿Cómo elude Adela la pregunta del doctor? 8. ¿Cómo le parece al doctor el «¡quién sabe!» de

Adela? 9. ¿Por qué duda Adela que Rodolfo se haya enamorado de ella? 10. ¿Por qué quiere Adela que se termine la conversación? 11. ¿Por qué no puede ya Adela pensar en Rodolfo? 12. ¿Cuál ha sido el único amor de la vida de Adela? 13. ¿Por qué aceptó el cariño de Alfredo? 14. ¿Piensa cumplir con su promesa a Alfredo?

II. Substitúyase la raya con la forma conveniente del imperfecto de subjunctivo del verbo que está al margen:

haber 1. Si me ________ visto en su lugar me habría juzgado el hombre más feliz de la tierra.
quitar 2. Sólo ha habido una cosa que me ________ la risa.
poder 3. Además, ellos ________ oírnos.
ser 4. Si ________ necesario, daría la vida por él.
haber 5. ¡Ojalá tú no me ________ dicho nada!
charlar 6. Rodolfo fué al cuarto de su madre para que ellos ________.
querer 7. Poco importaba que Rodolfo me ________.
venir 8. Doña Juana quiso que Rodolfo ________ a su cuarto.
salir 9. Adela temió que Rodolfo ________.
revelar 10. Adela pidió al doctor que nunca ________ su secreto.

III. Úsense en oraciones los modismos siguientes:

1. apoderarse de
2. en serio
3. contar con
4. tener razón
5. llevar tres días aquí
6. es verdad
7. a guisa de
8. referirse a
9. en seguida
10. confiar en

IX

I. Cuestionario basado en el texto — páginas (58–67)

1. ¿Por qué quiere Rodolfo hablar a Alfredo? 2. ¿Por qué

no han charlado antes? 3. ¿Por qué tuvo que perdonar Alfredo a Rodolfo cuando eran niños? 4. ¿Cómo saben los hermanos que su padre les quería? 5. ¿Por qué es Rodolfo el que necesita más a su madre? 6. ¿Por qué no consiente Rodolfo en que Alfredo le cuide? 7. ¿Por qué se inclina a ser más previsor que Alfredo? 8. ¿Cuál es la solución de la vida de Rodolfo? 9. ¿Cómo recibe Alfredo la noticia de que su hermano ha escogido a Adela? 10. ¿Dice Alfredo a su hermano que Adela está comprometida con él? 11. ¿Por qué quiere doña Juana que sus dos hijos se queden juntos?

II. Substitúyase la raya con la forma conveniente del condicional del verbo que está al margen:

comer — 1. ¡Quién iba a decir que al fin la tierra se ________ aquellos brazos!

sentir — 2. ¡Si no fuera así, lo ________ yo!

tener — 3. ¡Tú me ________ a mí!

ser — 4. ________ la grata realización de un viejo sueño de amor.

querer — 5. La madre ________ que ese abrazo no se rompiera nunca.

charlar — 6. Si tuviéramos tiempo, ________ un rato.

pasearse — 7. Nuestro padre ________ ________ por el jardín, si viviera todavía.

poder — 8. Todas las discordias de la vida no ________ romper esa unión.

aprobar — 9. Vosotros no ________ su proyecto si lo supiérais.

quedarse — 10. Alfredo no ________ ________ si Rodolfo no quisiera hablarle.

III. Úsense en oraciones los modismos siguientes:

1. de una vez
2. al lado de
3. para siempre
4. servir de

5. consentir en
6. hoy por hoy
7. ¡a ver!
8. además de
9. en resumen
10. ¡vamos!

X

I. Cuestionario basado en el texto — páginas (71–75)

1. ¿Dónde tiene lugar el acto tercero? 2. ¿Por qué están presentes doña Rita, Nena y Antonio? 3. ¿Desde cuándo no han podido ver a doña Juana? 4. ¿Qué ha oído decir Antonio acerca de Rodolfo? 5. ¿Cree doña Rita que Juanito tenga razón? 6. ¿Qué piensa Antonio de Alfredo? 7. ¿Qué dice doña Rita acerca del recibimiento de Rodolfo? 8. ¿Qué piensan los tres de Adela? 9. ¿Qué han dicho las de Picatoste acerca de Adela? 10. ¿Por qué tienen que disimular los tres?

II. Sustitúyase la raya con la forma conveniente del verbo que está al margen:

ir	1. Temo que Rodolfo ________ a oírme.
ser	2. Tú bien sabes que Juan ________ un envidioso.
tener	3. Creo que Juanito ________ razón.
ser	4. Es que Adela ________ una cursi.
haber	5. El hombre no se enteró de que ________ flores en la sala.
ser	6. Es lástima que Alfredo ________ ése.
decir	7. Ya sabes lo que ________ las de Picatoste.
salir	8. Se enteraron por una criada que ________ de aquí.
hacer	9. Han dicho que Rodolfo no ________ nada de extraordinario en la guerra.
volver	10. Le dijo a su hijo que ________ en seguida.

III. Úsense en oraciones los modismos siguientes:

1. en seguida
2. volver a ver
3. no ... más que
4. de modo que

5. sin embargo
6. tener razón
7. estar de acuerdo
8. enterarse de
9. no me importa
10. tener empeño en

XI

I. Cuestionario basado en el texto — páginas (76–86)

1. ¿Cómo explica doña Rita que no hay consulta preparada? 2. ¿Qué adivina el doctor acerca de la conversación anterior? 3. ¿Qué haría el doctor si las personas como Antonio, Nena y doña Rita abundaran? 4. ¿Qué pregunta hace el doctor a Nena? 5. ¿Cómo le contesta Nena? 6. ¿Por qué queda aplazada la visita de los tres? 7. ¿Por qué no volvieron antes doña Juana y Adela? 8. ¿Qué dice don Fermín acerca de la edad de doña Juana? 9. ¿Qué dice don Fermín a doña Juana acerca de la entrevista? 10. Descríbase la apariencia de Alfredo.

II. Substitúyase la raya con la forma conveniente del verbo que está al margen:

ser	1. ¡Ya sé yo que usted y doña Rita ________ iguales en eso!
conocer	2. ¡Es que yo les ________!
dejarse	3. ¡No hay que ________ cegar!
ser	4. Deploro que todo el mundo no ________ como ustedes.
matar	5. ¿No ha oído usted decir que la felicidad ________?
haber	6. ¡Qué pena que ustedes nos ________ esperado!
estar	7. Hacen ustedes bien en ________ siempre en guardia.
haber	8. Sólo por ________ abandonado su casa y su tierra, ya merece elogios.

abundar 9. Si las personas como ustedes ______, me mudaría a otro planeta.

venir 10. Me caso cuando alguien ______ a hablarme de amor.

III. Úsense en oraciones los modismos siguientes:

1. equivocarse
2. poner en ridículo
3. a un lado
4. desde luego
5. ¡ya lo sé!
6. hacer una pregunta
7. volverse
8. ocuparse de
9. ¡cuidado con!
10. ¡en marcha!

XII

I. Cuestionario basado en el texto — páginas (87–96)

1. ¿De qué hablan Alfredo y don Fermín? 2. Según don Fermín, ¿qué puede resolver el dilema? 3. Según don Fermín, ¿qué buscan las mujeres de su época en el matrimonio? 4. ¿Qué piensa Alfredo del cariño que Adela le ha demostrado? 5. ¿Lo confirma don Fermín? 6. ¿Qué quiere Alfredo cuando llama a Adela? 7. ¿Para qué llama a su hermano? 8. ¿Acepta Adela el sacrificio de Alfredo? 9. ¿Cómo recibe doña Juana la noticia? 10. ¿Qué dice don Fermín acerca del heroísmo de los dos hermanos?

II. Substitúyase la raya con la forma conveniente del verbo que está al margen:

estar 1. Desde hace tiempo, ______ queriendo a Adela.

haber 2. ¡Si no ______ sido mi hermano, no lo habría hecho!

ser 3. ¡Hábleme como si ______ mi padre!

pasar 4. Pase lo que ______.

hablar 5. ¡Ojalá no ______ más que mi conciencia!

gritar 6. ¡No ______ tú, por piedad!

perder 7. Si Rodolfo ________ su cariño, todos le miran como a un héroe.

sacrificar 8. Te aconsejo que te ________ por tu hermano.

contestar 9. Quiero que tú ________ a todo lo que vas a oír.

saber 10. Sólo falta que mamá lo ________.

III. Úsense en oraciones los modismos siguientes:

1. apoderarse de
2. ante todo
3. en vez de
4. depender de
5. tratarse de
6. en cambio
7. atreverse a
8. estar conforme en
9. tener razón
10. haber de

Notes

ACTO PRIMERO — ESCENA PRIMERA

4:4–5 **que... no podrán decir lo mismo,** who probably cannot say the same thing. (The future indicative may express conjecture or probability in present time.)

4:12 **besando por donde usted pisa,** kissing the ground you tread (step) on.

4:14 **pero... si:** (often used conversationally with meaning of **but, why, etc.,** used elliptically.)

4:14–15 **hay muy pocos que lo hagan en el mundo,** there are very few in the world who can do it. (The subjunctive is used in an adjectival dependent clause referring to an indefinite antecedent.)

5:4–5 **morirse mi pobre padre y traerme usted,** my father dying and your bringing me. (Verbal nouns in *ing* are usually rendered in Spanish by the infinitive.)

5:9–10 **para ayudarnos los unos a los otros,** to help one another.

5:11 **debiera** (for **debería**), should. (The imperfect subjunctive, in **ra,** of **deber** and **querer,** often replaces the present indicative or conditional.)

5:16 **qué será entonces de nuestra vida,** what will become then of our lives.

5:20–21 **sin que nadie se lo impusiese,** without any one imposing it upon him. (Clauses introduced by **sin que** always require the subjunctive. **Nadie** has an affirmative meaning when following a negation. The indirect object **le** is changed to **se** when both indirect and direct objects are in the third person.)

6:2 **no es de una patria,** doesn't belong to one country.

6:5–6 **Hubiese tenido que nacer = Habría tenido que nacer,** He would have had to be born.

6:11 **¡Si voy,** Why I am going to. (Cf. 4:14)

ESCENA II

7:6–7 **las sábanas se me pegaron,** I slept late; I seemed rooted to the bed.

7:11–12 **Todas las oraciones serían pensando en mi hermano, y ni una sola la diría por mí,** All her prayers must have been concerning my brother, and she probably didn't say a single one in my behalf. (The conditional is often used to show probability or conjecture in past time. Cf. 4:4–5.)

8:1–2 **¡Hubieras hecho lo que él = Habrías hecho lo que él hizo,** You should have done what he did.

8:10 **menos que nunca,** less than ever. (After a comparative, the negatives, **nunca, nadie,** etc., replace the affirmative.)

8:12–14 **¿Cómo puedes creer que en mis palabras quepa un reproche para ti?** How can you believe that a reproach is contained in my words? (**Quepa,** the present subjunctive of **caber.** A clause governed by an idea expressing uncertainty, indefiniteness, or negation has its verb in the subjunctive.)

8:17 **Lo verdadero del alma,** The true part of the soul. (**Lo** is used with adjectives as the equivalent of an abstract noun.)

8:18 **para que debas tú herirme,** in order that you should wound me. (Clauses introduced by **para que** always require the subjunctive.)

8:20–21 **Si no te quisiera, ¿crees que hubiese correspondido a tu cariño?** If I did not love you, do you think that I should have responded to your affection? (In contrary-to-fact conditions the imperfect subjunctive may be used in both clauses.)

9:1 **Así quiero que me hables,** Thus I want you to speak to me. (The subjunctive is used in dependent clauses after verbs of wishing when the main and subordinate verbs have different subjects.)

9:2 **que me llegan tan a lo hondo,** that touch me so deeply.

9:10 **Después, le entró la idea de marcharse a la guerra,** Afterwards, the idea of going away to war occurred to him.

9:16 **Es que me gustaste desde que te ví,** The fact is that I liked you as soon as I saw you.

9:18–19 **¡Dónde irás tú que más valgas!** Where can you go that you will be worth more! (**Irás** is the future of probability. Cf. 4:4–5. **Valgas** is the present subjunctive of **valer.** Cf. 4:14–15.)

9:20 **¡Ya te has picado!** Now you have been offended!

10:3 **me pusiste más colorada que una amapola,** you made me become redder than a poppy.

10:4–5 **bien que te gustarían mis piropos,** you probably liked my compliments heartily. (Cf. 7:11–12)

10:9 **Que:** omit in translation.

10:9–10 **Se consintió,** Permitted himself. (Preterite of **consentirse.**)

10:11 **no le gustarías!** he probably didn't like you! (Cf. 7:11–12)

10:13 **lo contrario,** the contrary. (Cf. 8:17)

10:15 **¡Oye!** Listen! (Familiar imperative of **oír.**)

11:1 **ese juego sí que no me gusta!** I don't like that game at all!

11:2 **Dime lo que quieras,** Tell me what you wish. (Cf. 8:12–14)

11:3 **¡Si es una broma,** Why, it's a joke.

11:4 **alguno,** one.

11:4–5 **se hubiese enamorado... hubiese tenido.** (Cf. 8:20–21. **Ocasión** is the object of **hubiese tenido.**)

11:6 hubiese podido. (Cf. 4:14–15)

11:7–8 ¿De cuándo a acá las mujeres nos declaramos? Since when have we women been proposing? (The present tense is used to indicate an action or state begun in the past and continuing into the present.)

12:1 no te dió fuerte, it didn't hit you hard.

12:9 ¡Mira que llamo a tu madre! Look out! I shall call your mother!

12:13 hasta que llegue Rodolfo, until Rodolfo's arrival. (The subjunctive is used in dependent clauses after the conjunction **hasta que,** when the action of the subordinate verb has not been completed.)

12:14 ¡Claro que lo sé! Of course I know it!

13:1 El Diablo son las cosas, What a fix we are in (would be in).

13:1 donde menos se piensa, where one least expects it.

13:2 ¡Déjate de refranes! Leave off proverbs!

13:5 ¡Ya nos han visto! Now we have been seen!

13:5 estarás contento. (Cf. 4:4–5)

ESCENA III

13:7 ¡Felices, Alfredito! Good morning, my dear Alfredo. (When used with nouns or adjectives the ending **-ito** conveys the idea of little, sweet, dainty, etc.)

13:9 ¡Si no he visto nada! Why I have seen nothing. (For use of **si,** cf. 4:14.)

14:2 le tenías cogida la mano, you kept holding her hand. (The use of **tener** for **haber** with past participles shifts the emphasis from the act expressed by the verb to the resultant state. For this reason, when used with **tener,** the past participle is treated like an adjective and it must agree with the object in number and gender.)

14:3 ¡Qué guasón es usted! How witty you are! (Note the use of the augmentive **-ón.**)

14:8 **Iba a emocionarme,** I should show my emotion. (Note the use of the imperfect plus the infinitive in place of the conditional.)

14:8–9 **no quiero que la gente vea,** I don't want people to see. (Cf. 9:1)

14:11 **que conste que,** let it be clear that. (The subjunctive is used in main clauses to express hortatory commands of the first and third persons. In the third person, **que** usually introduces the command.)

ESCENA IV

15:4–5 **por eso me tiene usted aquí,** therefore I am here.

15:6 **No podía haber...,** There could not be.

15:10–11 **vivo desde hace años,** for years I have lived. (The present indicative is used with **hace** or **desde hace** and an expression of time to indicate an action or state begun in the past and continuing into the present.)

15:14 **Tenemos tan pegado al corazón el egoísmo,** Selfishness is so attached to our hearts. (Cf. 14:2)

16:3–5 **Y lo que se alegraría su pobre esposo de usted, mi amigo, mi buen amigo, si levantara la cabeza y viera a su hijo hecho un héroe,** And how happy would be your poor husband, my friend, my good friend, if he should lift his head and see his son made a hero. (In present contrary-to-fact conditions, the imperfect subjunctive is used in the subordinate clauses and the conditional or the imperfect subjunctive in **ra** in the main clause; cf. 8:20–21.)

16:7 **lo arrestado que él era!** as bold as he was.

16:9 **se le puso entre ceja y ceja,** he thought constantly.

16:11–12 **Pero bueno es el muchacho para que le convenzan,** But the boy is a fine one to be persuaded. (For the use of the subjunctive after **para que,** cf. 8:18.)

16:13–14 **Que por poco les deja a ustedes en la calle cuando**

nuestra guerra de Independencia, Who almost left you in the street at the time of our War of Independence. (The historical present is used to narrate past events, producing a vivid effect.)

16:15 **a raíz de marcharse mi hijo,** just after my son's departure.

17:4 **lo que se entristeció esa muchacha,** how sad that girl became.

17:5–6 **¡Si hubiera sido su novia, no se hubiera afectado más!** If she had been his fiancée she would not have been affected more. (Cf. 8:20–21)

17:13–14 **es de lo más cariñosa,** she is most affectionate.

17:16–17 **Siempre me ha dado el corazón,** My heart has always told me.

18:2 **¡Vaya usted a saber!** Your guess is as good as mine!

18:5 **estoy a ciegas!** I am blind!

18:7 **conste,** let it be understood. (Cf. 14:11)

19:1 **¡Había de todo!** There was a sample of everything!

19:13 **que ya llegará su hijo,** for soon, your son will arrive.

ESCENA V

21:1 **¡Ni una palabra más! ¡Se acabó la consulta!** Not another word! The consultation has ended!

21:1–2 **¡Está usted queriendo burlarse de mí!** You are trying to make fun of me!

21:7 **¡Lo contenta que debe estar usted,** How happy you must be! (The neuter article **lo** may occasionally be rendered by **how** before adjectives and adverbs. In such constructions the adjective takes the number and gender of the noun referred to.)

21:9–10 **Aunque yo, en puridad, estaba resuelto a hacer otro tanto,** Although I, clearly, was resolved to do as much.

21:10–11 **Si la guerra me hubiese dado tiempo...,** If the war had given me time.

21:12 **Hubiera usted ido a Francia...,** You would have gone to France.

21:13 **Por lo menos lo hubiese intentado,** At least, I should have tried it. (Cf. 8:20–21)

21:13–14 **yo no estoy bueno del corazón,** I have heart trouble.

21:14–15 **hubiesen eximido = habrían eximido,** they would have exempted. (Cf. 5:11)

22:3–4 **¡... yo no iba a asustarme!** (Cf. 14:8)

22:8–9 **lo mismo daba,** it was all the same, it made no difference.

22:14 **... las de Torres, las de Mendoza y las de Peña?** the (ladies) of the Torres family, those of the Mendoza family and those of the Peña family?

23:5 **... a mí...,** omit in translation. (The prepositional forms of the personal pronouns are often used to emphasize or clarify an object pronoun. In this case the object pronoun emphasized is **me**.)

23:6 **¡Si hubiese sido...,** If it had been. (Cf. 8:20–21)

23:12–13 **... cubana, por mis cuatro costados,** one hundred per cent Cuban. **Costados,** race, lineage, succession of ancestors.

24:11–12 **Porque esos mismos, cuando se les dice de auxiliar a Cuba...,** Because those same ones, when they are asked to help Cuba.

24:15 **¡Que...:** omit the **que** in translation.

25:3 **... como si Cuba no hubiese estado empeñada,** as if Cuba had not been engaged. (Clauses introduced by **como si** always use the subjunctive.)

25:8 **Lo que nos falta...,** What we lack.

25:16–18 **¡Pero lo de menos fuera eso si, cuando el Ideal nos llama desde lo alto, supiéramos levantar la cabeza!** But that would be the least important, if, when the Ideal calls us from above, we could lift our heads! (Cf. 8:20–21)

25:19 **¡Tableau!** (French) **¡El doctor se nos ha vuelto... ro-**

mántico! What a sight! The doctor has turned romantic on us!

26:2 **¡La (verdad) de que no sólo de pan vive el hombre...,** The truth that not only by bread does man live. (Cf. the phrase found in Matthew IV:4, **«... no con solo el pan vivirá el hombre...»** and Luke IV:4, **«... que no con pan solo vivirá el hombre...»**

ESCENA ÚLTIMA

28:7 **¿Será acaso?** Can it be by chance? (Cf. 4:4–5)

ACTO SEGUNDO — ESCENA PRIMERA

31:3 **¿De qué serviría que las trajera,** What would be the use of my bringing them! (A clause governed by an idea expressing uncertainty has its verb in the subjunctive.)

32:3 **¡Deja que llore,** Let me weep! (The subjunctive is used in dependent noun clauses after verbs expressing that which is permitted.)

32:3–6 **¡Que no sé qué me da verme a mis años con esta vista tan clara, y (verle) a él,... para siempre!** It makes me wonder (It makes me sad) to see myself at my advanced age with such clear vision, and to see him, on the other hand, just beginning to live and with such large and open eyes, but forever blind!

32:11 **todo el tiempo que pueda,** all the time that I can. (The subjunctive is used in adjective clauses with an indefinite antecedent. (Cf. 4:14–15)

33:12 **qué quieres tú que piense?** what do you want me to think? (Cf. 9:1)

33:12–13 **Al quedar sin luz los ojos de mi hijo,** When my son's eyes remained without light.

33:15 **¡Dicen que a lo más oscuro amanece Dios!** It is said that it dawns when it is darkest. **Amanece Dios,** literally God sends forth the dawn.

33:16 **tal vez amanezca,** perhaps it may dawn. (**Tal vez, quizá[s],** perhaps, take the subjunctive for unaccomplished acts, present or future.)

34:3 **¡Si él supiera!** If he knew! (Cf. 8:20–21)

ESCENA II

34:12 **Pues te encontré de lo más abstraída,** Why I found you most absent-minded.

35:3 **Pues yo no quiero que te entristezcas por nada,** Why I don't want you to become sad on account of anything. (Cf. 33:12)

35:3–4 **Quiero que estés alegre como yo,** I want you to be happy as I am. (Cf. 33:12)

35:9 **de tu querer,** of your love. (Infinitive used as a noun.)

35:15–17 **Pues he pensado, Alfredo, que no digamos nada de nuestros amores todavía... Que aplacemos para más adelante la noticia...,** Well, I have been thinking, Alfredo, that we should not say anything about our love yet . . . That we should postpone the news until later. (A verb is in the subjunctive to indicate the speaker's uncertainty as to the subsequent enactment of his proposal.)

36:4 **¡Si nadie te pide que sacrifiques nada!** Why nobody asks you to sacrifice anything! (Verbs of noun clauses are in the subjunctive when depending on verbs of requesting.)

36:7 **¡Ya deseo que podamos estar juntos,** Now I want us to be able to be together. (Cf. 33:12)

36:8–9 **igual como si fuese un delito nuestro amor,** just as if our love were a crime. (Cf. 25:3)

36:15–16 **¡No hay espina que se clave tan adentro...,** There is no thorn which pierces so deeply. (Cf. 4:14–15)

37:2 **ni se anhela nada que no sea eso,** nor is anything desired that is not that. (Cf. 4:14–15)

37:5–6 **es por lo que dudo yo de que sea amor,** is why I doubt that it is love. (The subjunctive is used in dependent clauses after expressions of doubt.)

37:7 **¡Jesús, pero qué encaramillo estás armando!** Goodness, but what a fuss (you are raising)!

37:8 **¡Que no se diga,** The very idea!

37:10 **¡Pues yo no quiero que llores!** Well I don't want you to weep. (Cf. 33:12)

37:13 **te pedí que aplazaras,** I asked you to postpone. (Cf. 36:4)

37:14 **¡Pues cuenta con que no te he dicho nada,** Well, consider that I have said nothing to you.

37:15 **cuando te parezca oportuno, la das, y se acabó!** whenever it seems opportune to you, give the news, and the affair has been concluded. (Cf. 12:13)

37:18 **todo me parece que sonríe,** everything seems to me to be smiling.

ESCENA III

39:8 **¡Qué piropo más bonito!** What a pretty compliment!

39:8 **¡Bien se ve...,** One sees indeed. (The reflexive se is used with the third person singular of a verb in impersonal constructions, translated in English by *one*, *you*, *they*, etc.)

40:3 **¡No receurdes eso!** Don't remember that! (The subjunctive is used to express all negative commands.)

40:5 **¡Yo no valgo la pena,** I am not worth while.

40:6–7 **¿Tienes aun el cabello tan oscuro como antes?** Is your hair still as dark as formerly?

40:12 **¡No digas así!** Don't talk in that way! (Cf. 40:3)

40:12 **¡Si vieras...,** If you should see . . . (Cf. 8:20–21)

40:15 **¡Más vale que no me veas,** It is better for you not to see me. (The subjunctive is used after impersonal expressions denoting possibility, probability, necessity, suitability, feeling or emotion, and their opposites.)

40:15–16 **ibas a perder la ilusión.** (Cf. 14:8)

41:1 **que no se pierden nunca,** which are never lost.

42:1 **serán horas de bruma,** they are probably hours of fog. (Cf. 4:4–5)

42:8–9 **¡No me hagas caso!** Don't pay any attention to me!

42:11–12 **como si en tu corazón hubiese lucha...,** as if in your heart there were a struggle . . . (Cf. 25:3)

42:12–13 **¿Hay algo que pugne en tu corazón?** Is there something struggling in your heart? (Cf. 32:11)

43:1 **Creo serlo,** I think that I am. (The dependent verb has the form of the infinitive when its subject is the same as that of the verb in the main clause.)

43:1–2 **¡Nos engañamos tantas veces a nosotros mismos!** We deceive ourselves so often!

43:5 **¡Cuando se puede!** When one can. (Cf. 39:8)

43:13 **No sé qué cosas serán ésas,** I don't know what those things can be. (Cf. 4:4–5)

43:13–14 **Pero sean cuales fueren, por venir de ti, las oiré con gusto,** But let them be what they may, on account of coming from you, I shall hear them gladly.

44:2 **¡Por nada!** For no reason at all!

44:2–3 **Mira, vamos a dar una vuelta por el jardín, para que cojas un poco de sol,** See here, let's take a walk through the garden, in order that you may get a little sunshine.

44:10 **¡Qué noches aquéllas,** What nights (were) those . . .

44:10–11 **tendidos en haces los soldados,** soldiers stretched out upon the face of the earth.

44:14–15 **veía brillar las estrellas azules...,** I kept seeing the blue stars shining.

45:5 **Quizá las rosas te lo digan,** Perhaps the roses may tell it to you. (Cf. 33:16)

45:7–8 **Se lo preguntaré a los pájaros y a las rosas,** I shall ask (it of) the birds and the roses. (The object pronouns are often used redundantly with noun objects.)

45:10 **Ven... Por aquí... Con cuidado...,** Come . . . This way . . . Carefully.

ESCENA IV

46:1–2 **Pues juraría haber oído su voz,** I would swear that I had heard his voice. (Cf. 43:1)

46:11 **Y no le debe extrañar eso,** And that should not surprise you.

46:11–12 **lo buena que es esa muchacha,** how kind that girl is. (Cf. 21:7)

47:1 **infinito:** translate into English by an adverb.

47:1 **lo que me dice,** what are you telling me, (is the subject of) **me alegra,** makes me happy.

47:2–3 **¡Un plan... maquiavélico!** A Machiavellian plan! (Machiavellian, of or pertaining to the Florentine statesman, Niccolo Machiavelli [1469–1527], or, especially, his political doctrine that a ruler may use any means, however unscrupulous, to maintain a strong central government.)

47:4 **serán,** future of probability. (Cf. 4:4–5)

47:5 **No crea usted,** Don't think so.

47:6–7 **he pensado,** I have intended.

47:9 **he pensado intentar,** I have intended to attempt.

47:11 **¿Por qué ha de parecerme eso?** Why is it to seem that to me?

47:15 **cuando yo le falte,** when he will lack me. (Cf. 12:13)

47:15 **lo:** omit in translation.

49:1 **Depende de que ella no dé en callarse,** It depends on her not persisting in being silent.

49:9 **a ver qué sacamos en limpio,** let's see what we gather.

49:12 **¡Quiera Dios que el cielo nos ayude!** May God will that heaven will help us!

ESCENA V

49:13 **aquí tienes a tu madre,** here is your mother.

50:5 **con esa tonada bien me juegas la cabeza,** with that tune you indeed turn my head.

50:6 **Vamos a donde quieras,** Let's go wherever you like.

ESCENA VI

51:8–9 **Supongo lo deleitosa que habrá sido la jornada para Rodolfo,** I can imagine how delightful the day must have been for Rodolfo. (Cf. 21:7)

51:11–12 **¡Si me hubiese yo visto en su lugar, me hubiese juzgado el hombre más feliz de la tierra!** If I had found myself in his place, I should have judged myself the happiest man on earth! (Cf. 8:20–21)

51:13–14 **recorrer conmigo el jardín,** walking around the garden with me.

52:5 **la máscara que ríe,** the laughing mask.

52:5–6 **¡Como que es un gran recurso esto de no hablar nunca en serio!** What a great recourse this is to never speak seriously!

52:7 **diga lo que diga,** say what I may.

52:7 **como va en broma,** as it is in a joking manner.

52:11–12 **en los cincuenta años que llevo por el mundo,** during the fifty years that I have been in the world.

52:12–13 **sólo ha habido una cosa que me quitara la risa,** there has only been one thing that took laughter from me. (Cf. 4:14–15)

52:16 **vaya una pregunta,** let a question come.

53:4 **¡Si que es un escopetazo la preguntita!** Indeed, the little question is a gunshot!

54:12 **tenía pensado.** (**Tener** used as an auxiliary verb in place of **haber** gives idea of completed action.)

55:6 **no me explico,** I don't understand.

55:8 **lo que me inquieta,** how it disturbs me.

55:8 **pudieran = podrían,** they could.

56:2 **lo nerviosa que estoy!** how nervous I am! (Cf. 21:7)

56:4 **para que se convenza,** in order that you may be convinced.

56:5 **Yo ya no puedo,** I can no longer.

56:12–13 **y cuanto más postrado por la Fortuna le vea, más le querré,** and the more humbled by Fortune I shall see him, the more I shall love him.

57:13–14 **¡Ojalá no me hubieras dicho nada!** Would that you had said nothing to me!

57:15 **per in æternum!** (*Latin*), forever!

57:16 **Siento ruido,** I hear noise.

ESCENA VII

58:10 **¿Dónde estará?,** Where can he be? (Future of probability. Cf. 4:4–5)

58:12 **¿Eres tú, Rodolfo?** Is it you, Rodolfo?

58:13 **¡Soy yo!** It is I!

59:4–5 **¡Ya es necesario que hable yo de una vez!** It is necessary for me to speak now at once! (The subjunctive is used in dependent clauses after impersonal expressions that denote necessity, convenience, importance, possibility, etc., when the subordinate verb has an expressed or implied subject. Cf. 40:15)

59:9 **a decirnos,** to tell each other.

59:12 **nuestra pobre vieja,** our poor old mother.

59:17 **¡Y lo que me reía yo...!** And how I used to laugh . . . !

60:3 **¡Qué tiempos aquéllos!** What times those were!

60:11–12 **¡Si no fuera así, el más forzado a sentirlo, sería yo, que soy el que más la necesito!** If it were not thus, the one compelled most to regret it would be I, who am the one who needs her most! (Cf. 16:3–5)

60:14 **todo lo que quieras!** everything that you wish! (Cf. 4:14–15)

60:15–16 **siempre lo fuiste,** you were always so.

61:1 **Bien, no adelantemos los acontecimientos,** Well, let us not anticipate events. (The subjunctive is used to express hortatory commands of the first and third persons.)

61:1–2 **Hoy por hoy, no nos falta ni nos sobra nada,** For the present, we lack nothing nor do we have anything to spare.

61:2 **Gocémonos,** Let us enjoy ourselves. (In an affirmative command, a reflexive verb drops **-s** of the ending in the first person plural before adding **nos.**)

61:6–7 **debo buscar algún cariño que me ampare en lo futuro,** I ought to seek some affection to protect me in the future. (Cf. 4:14–15)

61:11 **Es que entonces quedo yo,** I shall remain then. (The present indicative often replaces the future.)

62:1 **¡Pues di lo que sea!** Well, say what it is! (Cf. 4:14–15)

62:7–8 **cuando sepas otra cosa,** when you find out something else. (Cf. 12:13)

62:9 **¡Di, que ya voy interesándome!** Say it, for I am becoming interested!

63:3–4 **como hablar,** as for speaking.

63:6 **Pues mi opinión es que le hables en seguida,** My opinion is for you to speak to her at once. (Cf. 35:15–17)

63:11 **¡Pues no faltaba otra cosa!** That is the last straw! The idea!

64:2 **Porque la mía todavía se ignora lo que dirá,** Because it isn't known yet what mine will say.

64:3–4 **¡Y poco satisfecha que estará de ser la mujer de un héroe, ...!** And she will certainly be happy to be the wife of a hero, . . . !

64:7 **muy bueno para,** too good to.

64:7–8 **para consentir que yo sufra esa decepción,** to consent for me to suffer that deception. (Cf. 35:15–17)

64:10–11 **tengo empeño en,** I insist on.

64:17 **¡Vamos, di!** Come, say!

66:1 **¡Pues venga un abrazo,...!** Let us embrace, then, . . . ! (Cf. 61:1)

ESCENA ÚLTIMA

67:4–5 **¡Ay, si ese abrazo no se rompiera nunca!** Alas, if that embrace would never be broken! (Cf. 8:20–21)

ACTO TERCERO — ESCENA PRIMERA

71:4–5 **Aquí me tienen ustedes,** I am here.

71:5 **esperando por = esperando a.** (Spanish usually needs no por.)

72:5–6 **Y eso que dicen que está empalagosísima con el regreso del héroe,** And they say she is very boresome talking about the return of the hero.

72:6 **Las de Picatoste,** The ladies of the Picatoste family.

72:6–7 **no habla más que del muchacho,** she talks only of the boy.

72:10 **eso,** that is.

73:2 **hay que ponerlo en cuarentena,** it is necessary to take it with a grain of salt.

73:4 **piensa mal y (acertarás),** think the worst and you'll not miss it far.

73:8 **bien miradas las cosas,** things considered well.

73:10–11 **como el de tantos otros héroes de confección doméstica,** as that of so many other home-made heroes.

73:12–13 **Por eso la mamá y el hermanito deben ir rebajando un poco los humos,** Therefore, the mother and the little brother ought to be reducing their steam a little. (Coming down to earth, getting down off their high horse.)

74:1–2 **¡Pregunta tú qué falta hacía en Francia un soldado más!** Just ask how one more soldier would be missed in France!

74:3–4 **no hubiera ido = habría ido,** I should not have gone. (Cf. 5:11)

74:6 **¡Y que no fué poco florido el recibimiento!** And wasn't the reception somewhat flowery!

74:9 **¡Es que Adela es una cursi!** The fact is that Adela has bad taste!

74:10 **En eso sí estoy de acuerdo,** In that indeed I agree.

74:14 **Y que come a dos carillos,** And the fact is that she enjoys two places at the same time.

74:16–17 **hagamos méritos con el otro,** let us make ourselves deserving of the other. (Subjunctive used in hortatory commands. Cf. 61:1)

75:1 **Sólo que se llevó el gran chasco,** Only, she got left.

75:3–4 **en el fondo,** in reality.

75:7–8 **no porque a mí me importe él ni un ápice,** not because he matters even a whit to me.

75:13 **se acomodó con ellas,** was taken in by them.

75:15 **disimulemos ahora,** let's change the subject now.

75:16 **y ese vejestorio ya saben ustedes cómo es,** and you know already how that shrivelled old person is.

ESCENA II

76:3 **¡Cuánto bueno por esta casa!** How lucky we are to have you!

76:5–6 **Si echa usted mis padecimientos a broma...,** If you treat my sufferings as a joke.

76:7–8 **todos estamos enfermos en la vida,** we are all sick in life.

77:15–16 **Claro que entre tanta miel siempre se deslizaría tal cual gotita de acíbar,** Of course there probably slipped in from time to time a little drop of bitterness in so much honey.

78:1 **ponerse en ridículo,** to make one's self ridiculous.

78:5–6 **La amistad no debe extremarse demasiado,** Friendship must not be carried to too great an extreme.

78:6 **No debe caer en ridículas chocheces de abuela,** It must not fall into the ridiculous dotage of a grandmother.

78:12–13 **Ya oigo las alabanzas que harían ustedes del pobre Rodolfo,** I hear indeed the praises that you probably made of poor Rodolfo.

78:14 **Y lo que lamentarían...,** And how you probably lamented . . .

78:17–18 **que cuando se habla del mérito ajeno se ponen a buscar argumentos con que empequeñecerlo,** who, when one speaks of the merit of others, begin to seek arguments with which to belittle it.

79:8–9 **Créanme que si las personas como ustedes abundaran ..., ¡yo me mudaría a otro planeta!** Believe me that if people like you were very numerous, I should move to another planet!

79:12–13 **El hombre no está acomodado para una vida tan perfecta,** Man is not suited to such a perfect life.

79:13 **¿No ha oído usted decir...?** Haven't you heard . . . ?

79:15 **¡Usted sabrá lo que dice!** You probably know what you are saying!

80:11 **¡Yo tú variaba de táctica!** If I were you, I should change my tactics!

80:13 **¡Es que no es ninguna deshonra el quedarse solterona!** The fact is that to remain an old maid is no disgrace!

81:1–2 **Pero es que por lo regular las solteronas ya sabe usted lo pécoras que se vuelven...,** But the fact is that you know already how designing old maids regularly become.

81:3 **yo estoy en el gremio!** I am in the group!

81:8 **¡Vaya usted a saber!** It's up to you to find out!

ESCENA III

82:4 **¡Se nos haría demasiado tarde!** It would become too late for us!

82:10–11 **Como hacía tanto tiempo que no me ocupaba de eso,** Since I hadn't concerned myself with that for so long.

82:12–13 **hay que pensar en componerse,** it is necessary to primp up.

82:14–15 **¡Como si a mis años valieran los alifafes!** As if at my age adornments would help!

83:1 **¡Ni que fuera usted una vieja!** You are not an old lady!

83:5 **Sí, es un estuche... un estuche...,** Yes, he is a clever, handy fellow . . . a case . . . (A pun that is lost by translation.)

83:10 **que sigas tan bonita...,** may you continue to be so pretty.

83:12 **¡No le temo a los pinchazos!** I don't fear your stabs!

84:6 **¡Lo mismo que usted, Adela!** Likewise for you, Adela!

84:10 **Entre nosotros están de más los cumplimientos.** Between us formalities are unnecessary.

84:13 **Y, antes que se me olvide: ¿qué hubo de la entrevista?** And, before I forget, what about the interview?

ESCENA IV

85:12 **¿Qué te pasa?** What's the matter with you?

86:1 **¿qué te sucede?** what's the matter with you?

86:4 **¿Qué tienes?** What's the matter with you?

86:12–13 **Desde hace tiempo, estoy queriendo a Adela,** For some time I have been loving Adela. (Cf. 15:10–11)

87:3 **y la que no sé cómo disputarla a un pobre ciego,** and the one for whom I cannot fight with a poor blind man.

87:19 **pase lo que pase,** happen what may. (Cf. 52:7)

87:19–21 **¡Alúmbreme usted, hábleme como si fuera mi padre, ya que él no puede aconsejarme, porque a donde él está no llegan las voces de la vida!** Enlighten me, speak to me as if you were my father, since he can no longer advise me, because mortal voices do not reach the place where he is.

88:2–3 **Este dilema no puede resolverlo más que tu propia conciencia,** Only your own conscience can solve this dilemma.

88:4–5 **¡Ojalá no hablara más que ella en mi alma!** Would that it alone spoke within my soul!

88:13–14 **que esa mujer a quien le pertenece es a mí,** that the one to whom that woman belongs is to me.

88:15–16 **y vaya lo uno por lo otro,** and let the one thing be the compensation for the other.

89:2 **te asiste,** is on your side.

89:9 **¡Si lo sé,...** Why I know it, . . . (Cf. 4:14)

89:9–10 **Si nada de lo que usted dice se me ha ocultado...,** Indeed nothing of what you say has been hidden from me.

89:16 **el triste lazarillo de un ciego!** the sad guide of a blind man.

90:1–2 **las fichas de un tablero de ajedrez?** the counters of a chess-board?

90:2–5 **¿Con qué palabras voy yo a decirle que el cariño que me profesaba a mí se lo traspase ahora a mi hermano, como si se tratara de una posesión material, de una casa, de una finca, de una joya?** With what words am I going to tell her to transfer now to my brother the affection that she professed for me, as if it were a question of a material possession, of a house, of a farm, of a jewel?

90:13 **todo estriba en eso,** everything rests on that.

90:14–15 **a ella no puedo tildarla en justicia de ingrata,** I can't justly accuse her of being an ingrate.

90:21 **serios motivos tendrá,** he probably has serious reasons. (Cf. 4:4–5)

91:5 **sentirá por tí,** probably feels for you. (Cf. 4:4–5)

91:8 **¡Acaso porque Adela misma se lo ha dicho!** Perhaps because Adela herself has told you so!

91:9–10 **¡Antes debía haberlo yo comprendido!** I should have understood it before!

91:11–12 **La alejamos a manotazos,** We thrust it away with blows.
91:12–13 **¡Y esto no es de hombres!** And this is not manly!
91:14 **cuando llama a ella,** when it knocks at it.
92:6 **¡Que venga pronto esa mujer!** Let that woman come quickly! (Cf. 61:1)

ESCENA V

92:9 **veas lo que veas,** see what you may. (Cf. 52:7, 87:19)

ESCENA VI

94:3–4 **Ésta quiere interrumpirle,** The latter tries to interrupt him.
94:15 **aquí la tienes,** here she is.
95:1 **¿Eres tú?** Is it you?

ESCENA FINAL

96:3 **¿Será que Adela?...** Can it be that Adela? . . .
96:4 **¡Ya no me muero solo!** I shall no longer die alone!
96:7 **¡Y todo se lo debo a Alfredo, a mi hermano!** And I owe it all to Alfredo, my brother!
96:8 **¡Qué bueno eres, hijo,** How good you are, my son.

Vocabulary

The articles, the personal subject, object, and reflexive pronouns, demonstrative adjectives and pronouns, possessive adjectives and pronouns, adjectives that have identical forms and meanings in Spanish and English, such as *admirable*, *general* and *regular*, the cardinal and ordinal numbers, and proper names that have no equivalent in English are *not* included in the vocabulary.

A

a to, at, by, in, into, on; *sign of the personal direct object*
abandonar leave, forsake, give up; **—se a** give oneself up to
abanico *m.* fan
abierto, -a open, opened; *past. part. of* **abrir**
abnegación *f.* self-denial, unselfishness
abnegado, -a unselfish
abochornarse blush
abrasar burn
abrazar embrace
abrazo *m.* embrace
abrir open
absolutamente absolutely
abstraerse be absent-minded, concentrate
abstraído, -a absent-minded
abuela *f.* grandmother
abundancia *f.* abundance
abundar abound, be numerous
aburrir bore; **—se** become bored
acá here
acabar finish, complete, end; **—se** be over; **— de** have just
academia *f.* academy, association
académico, -a academic(al)
acaso by chance, by accident, maybe, perhaps
acceder agree, consent
acción *f.* action
acechar lie in ambush (for), spy on
aceptar accept
acerca about, concerning
acercarse (a) draw near (to), approach
acertado, -a fit, proper, wise
acertar guess right, hit on the right answer
acíbar *m.* bitterness, gall
acomodado, -a fit, well taken care of, adjusted, prepared
acomodar take in, shelter, lodge; **—se (con)** take a position (with)
acomodo *m.* comfort, lodging, ease
acompañar accompany, escort
aconsejar advise, counsel
acontecimiento *m.* event, happening
acordar agree; **—se (de)** remember, recollect
acreedor, -a deserving, worthy of
acto *m.* act (*of a play*)
actor *m.* actor, player
actual present

acuerdo *m.* opinion; **de —** in agreement, agreed, of the same opinion
adecuado, -a adequate
Adela *f.* Adela
adelantar anticipate, go on ahead
adelante forward, onward; **más —** farther on
además moreover, furthermore; **— de** besides, in addition to
adentro deeply, inside, within
adiós good-bye
adivinación *f.* divination
adivinar divine, guess
admiración *f.* admiration, wonder
admirar admire, wonder at
aeternum [*Latin*] eternity; **per in —** forever
afán *m.* anxiety, solicitude, eagerness
afectar affect; **—se** be moved, be shocked
afirmación *f.* affirmation
aforismo *m.* aforism, maxim
afrontar confront, face
agradable agreeable, pleasing, pleasant
agradecer thank (for), be grateful (for)
agradecido, -a grateful, thankful
agua *f.* water
agüero *m.* omen, sign
¡ah! ah!
ahí there, yonder; **por —** around there
ahogar choke, smother
ahora now
ajedrez *m.* chess
ajeno, -a of another, belonging to another
al: *contraction of* **a** + **el**; **—** + *inf.* on, upon, at the moment of; **— fin** at last
ala *f.* wing
alabanza *f.* praise, commendation
alameda *f.* poplar grove, public walk
alegrar gladden, comfort; **—se** rejoice, be glad
alegre merry, joyful, light-hearted, cheerful
alegría *f.* joy
alejar withdraw, draw away, drive away; **—se** draw away
Alfredito *m.* little Alfred, *dim. of* **Alfredo**
Alfredo *m.* Alfred (*character in the play*)
algo something, somewhat, a little, rather; **— de** a little (of)
alguien somebody, some one
algún: *apocopated form of* **alguno**
alguno, -a some, either, somebody, any
aliado, -a ally, allied; **Aliados** the Allies
aliento *m.* breath, courage; **tomar —** get one's breath, take courage
alifafe *m.* adornment
aliviar lighten, relieve
alma *f.* heart, soul, human being; **con toda el —** with all one's heart and soul
alto, -a high, enormous, deep, loudly; **desde lo alto** from above
aludir allude, refer
alumbrar enlighten, instruct, advise
alzar raise, lift
allá there
allí there
amable amiable, kind
amanecer dawn; **amanece Dios** it dawns, *literally* God sends forth the dawn
amanecer *m.* dawn, daybreak
amanezca: *pres. subj. of* **amanecer**
amapola *f.* poppy
amar love
amargo, -a bitter
ambos, -as both
americano, -a American
amigo *m.* friend
amistad *f.* friendship
amonestar admonish, warn, advise

amor *m.* love; **amores** love affairs; **por (el) — de Dios** for Heaven's sake
amorosamente lovingly, with love
amortajar shroud
amparar protect
anales *m. pl.* annals
andar walk, go along
ánfora *f.* amphora
anhelar wish (for), long for
anoche last night
anonadar annihilate, stun
ante before, in the presence of; **— todo** above all, first of all
anterior former, preceding
antes before, formerly, first; **— de** before; **— que** before, rather than
antipático, -a displeasing, disagreeable
Antonio *m.* Anthony, Tony (*a character in the play*)
anunciar announce, inform
anzuelo *m.* fishhook, baited hook
añadir add
año *m.* year; **—s** (old) age; **a mis —s** at my age
aparecer appear
apariencia *f.* appearance; **en —** apparently
aparte (de) apart (from)
apasionado, -a in love
apenas scarcely, hardly; **— si,** barely, scarcely
ápice *m.* whit, iota
aplacemos: *pres. subj. of* **aplazar**
aplazar postpone, adjourn
apoderarse (de) take possession (of)
apostar bet, wager
aprender learn
apretar squeeze, press, embrace
aprobar approve
aprovechar profit by, make use of
apurarse worry
aquejar goad on, afflict
aquí here; **por —** this way, around here
arabesco *m.* arabesque
árbol *m.* tree
archivar deposit, keep, store away
ardiente burning, ardent
areito *m.* *song and dance of Indians*
argumento *m.* argument
armar mount, make ready, raise, start, work up
armonía *f.* harmony
armónicamente harmoniously
aroma *m.* aroma, perfume, fragrancy
arrancar pull out
arrestado, -a bold, brave
arriba above, on high, overhead
arroyo *m.* brook, stream
arte *f.* art
artículo *m.* article
asalto *m.* assault, attack
asechanza *f.* snare, trap
asegurarse make sure, make certain
así so, thus, in this manner
asistir accompany, be on one's side; **— a** attend
asociación *f.* association
asombro *m.* amazement, astonishment
aspirar aspire
asunto *m.* matter, affair
asustar(se) frighten, be frightened
atender take care of, treat
ateneo *m.* literary club
atenido, -a dependent
atmósfera *f.* atmosphere
atortolar intimidate, vanquish, daze
atreverse (a) dare, venture
atrevido, -a bold, daring, insolent
aumentar increase, rise
aun still
aún still, yet; **— no** not yet
aunque even if, though, although
aurora *f.* dawn
ausencia *f.* absence
automóvil *m.* automobile
autor *m.* author
autoridad *f.* authority

auxiliar help
auxilio *m.* help, aid
¡Ave María! Hail, Mary!, *used as a very mild oath, translate* gracious!
averiguar find out, guess
¡ay! alas!, ouch!, oh!
ayer yesterday
ayudar help, aid, assist
azul blue

B

bachillerato *m.* bachelor's degree (*generally given at the end of secondary education*)
¡bah! bah!
bailar dance
baile *m.* dance
bajar lower, go down
bala *f.* bullet
balbuciente babbling, stammering
barca *f.* boat
barro *m.* clay
bártulos *m. pl.* household goods, purchases
basado, -a based
bastante enough, quite a bit
bastar suffice, be enough
batalla *f.* battle
beber drink
belleza *f.* beauty
bendecir bless
bendije: *pret. of* **bendecir**
benigno, -a mild, kind
besar kiss
bien well, perfectly, fully, quite; **más —** rather
bien *m.* good; **hombre de —** honest man; **gente de —** honest people
bisturí *m.* knife, bistoury
blanco, -a white, light-colored
bobo *m.* fool, simpleton
boca *f.* mouth
boceto *m.* sketch
boda *f.* wedding, marriage
bolsillo *m.* pocket
bondad *f.* kindness, goodness
bonito, -a pretty
borrar erase, obliterate
botánico, -a botanical; **Jardín Botánico** Botanical Garden, park
¡bravo! bravo!, hurrah!; **¡— por!** hurrah for!
brazo *m.* arm
breve brief
brillar shine
brisa *f.* breeze
broma *f.* jest, joke; **echar a —** treat as a joke
bromista *m.* joker, jokster
bronce *m.* bronze, statue
brotar come out, issue forth
bruma *f.* mist, fog
búcaro *m.* vessel (of clay)
buen: *apocopated form of* **bueno**
bueno, -a good, kind; **¡cuánto — por aquí!** how fortunate to have you here!; **estar —** be well; **buenos días** good morning
bueno, *adv.* well, very well
burilar engrave
burla *f.* jest
burlarse de make fun of
buscar seek, look for
butaca *f.* arm-chair, easy-chair

C

caballero *m.* gentleman, man
cabaret *m.* cabaret
cabello *m.* hair
caber be contained in, fit in
cabeza *f.* head, mind
cada every, each; **— uno** each, every one, everybody; **— vez que** every time, whenever
caer(se) fall; **—se encima** fall on
cafetal *m.* coffee plantation, coffee grove
calar penetrate, soak through
calcular calculate, estimate
calor *m.* heat, warmth, ardor, affection
callar(se) keep silence, be silent

calle *f.* street; **dejar en la —** leave destitute
callejero, -a loiterer, loafer, vagabond
cambio *m.* change; **en —** on the other hand
camino *m.* road
campo *m.* field; **— de batalla** battlefield
cancionero *m.* ballad collection, song book
cándido, -a candid, guileless
cansar tire; **—se** become tired
cantar sing
canto *m.* song
capaz capable, able
capítulo *m.* chapter
capricho *m.* whim, caprice
cara *f.* face; **— a —** face to face
carácter *m.* character, nature
caravana *f.* caravan
cargar carry
cariño *m.* affection, love
cariñoso, -a affectionate
carne *f.* flesh, meat, carnal body; **— y hueso** in the flesh
carta *f.* letter
carrillo *m.* cheek
casa *f.* house, home, business concern
casar marry off; **—se** marry, get married
caso *m.* case; **hacer —** mind, pay attention to; **para el —** for the purpose
católico, -a Catholic
causa *f.* cause; **Causa** the Cause (*of the Allies*)
causar cause, bring about
ceder yield
cegar blind; **—se** be blinded
ceja *f.* eyebrow; **entre — y —** in one's head
célebre famous, celebrated
celebrar celebrate, praise
celeste celestial, heavenly
celos *m. pl.* jealousy; **tener —** be jealous; **sentir —** feel pangs of jealousy
centro *m.* center
cerca near
cerebro *m.* brain
cerrar close, shut
certamen *m.* contest
certidumbre *f.* certainty, conviction
cesar cease, stop
ciego, -a blind; **a ciegas** in the dark, blindly
cielo *m.* sky, heaven
cieno *m.* mud, mire
ciertamente certainly, surely
cierto, -a certain, true; **estar en lo —** be right
cincuentón, -ona fifty-year-old
circunstancia *f.* circumstance
civilización *f.* civilization
claro, -a clear, evident; **claro está** of course, evidently; **poner en claro** make plain; **¡claro!** of course!; **¡claro que!** of course!
claro, *adv.* clearly
clavar nail, stick, pierce
clemente merciful
cobarde cowardly
cobarde *m. & f.* coward
codear rub elbows with, rub shoulders with, associate with
coger grasp, take hold of, take; **— el sol** enjoy the sun, walk in the sun; **— el cielo con las manos** put on airs, be pretentious
colaboración *f.* collaboration; **en — con** in collaboration with
cólera *f.* anger
colocar arrange, place
color *m.* color
colorado, -a red; **poner a uno —** make one blush
combate *m.* combat, struggle
combatir combat, attack
comedero *m.* dining room, eating place
comedia *f.* comedy, play, drama
comedido, -a prudent, moderate, retiring
comer eat, destroy; **— a dos**

carrillos enjoy two places *or* advantages at the same time; **—se** eat (up)
cómico, -a comic
comisión *f.* committee
como like, how, as, since; **— que** after all
¿cómo? how? **¿— no?** of course, naturally
cómodo, -a comfortable
compadecerse (de) pity, sympathize (with)
compañera *f.* companion
compañero *m.* companion
comparar compare
complicado, -a complicated
componer compose, fix; **—se** arrange one's hair, pay attention to one's clothes, fix up
comprender understand, include
comprometer engage; **—se (con)** become engaged (to)
compromiso *m.* engagement, betrothal; **por —** through obligation
compuesto, -a dressed-up, fixed-up
con with
conciencia *f.* conscience
concurso *m.* contest, competition
condenado, -a condemned
condicional *m.* conditional (tense)
confección *f.* manufacture
conferencia *f.* lecture
confesar confess, acknowledge
confiar confide; **— en** rely on, trust in
confirmar confirm, verify
conforme resigned, agreed; **— a** agreeable to; **estar —** be agreeable to, agree with
confundir confuse, abash
congratulación *f.* congratulation
conmigo with me
conocer be acquainted with, know
conque so then, and so
conquista *f.* conquest
consagrado, -a consecrated, devoted
conseguir attain, get, obtain, gain
consentir consent, allow; **— en** consent
conservar keep, preserve, maintain
considerar consider
consistir en lie, consist in
consolar comfort, console
constar be evident, be clear, be certain, be of record
consuelo *m.* consolation
consulta *f.* consultation
consultar consult; **—se** consult
contar count, tell; **— con** count on, pretend; **¿qué me cuentas?** what now?, really?
contemporáneo, -a contemporary
contener restrain, stop
contento, -a satisfied, glad
contento *m.* satisfaction, happiness
contestar answer, reply
contienda *f.* strife, struggle
contigo with you
continuar continue
contorno *m.* contour, outline, surrounding
contra against, in opposition
contrario, -a contradictory, contrary; **por el contrario** on the contrary; **al contrario** on the contrary; **lo contrario** the contrary
convencer convince
conveniencia *f.* advantage
conveniente appropriate, suitable
convenir suit, be proper, be to the purpose, be meet
convenza: *pres. subj. of* **convencer**
conversación *f.* conversation
conversar talk, converse, chat
convulsivamente convulsively
copa *f.* glass, wine glass
copo *m.* tuft of flax, cotton or wool to be spun
corazón *m.* heart
corto, -a short

correr run
corresponder (a) return (*a favor*), belong to
corrida *f.* bullfight
cosa *f.* thing
coscorrón *m.* bump on the head, blow
cosmopolita, -o cosmopolitan
costado *m.* side; **cubana por mis cuatro —s** thoroughly Cuban
costumbre *f.* custom; **tener por —** be in the habit
crédito *m.* credit
creer believe, think; **ya lo creo** of course
crepuscular dawning, twilight
criada *f.* maid, servant
crimen *m.* crime
cristalino, -a crystalline, clear
cromo *m.* chrome, picture
cruz *f.* cross; **Cruz Roja** Red Cross Society
cuadro *m.* picture, tableau
cual which, such as, as; **tal —** one from time to time; **el —, la —, lo —, los —es, las —es** which, who, that
¿cuál? which? what?
cualquier, -a any (one), someone
cuando when, at the time of; **de — en —** from time to time, once in a while
¿cuándo? when?; **¿de — acá?** since when?
cuanto as much as; **— más** the more
¡cuánto! how much!
¿cuánto? -a? how much? **¿—s?** how many?
cuarentena *f.* suspension of assent to anything, quarantine
cuarto *m.* room
cubano, -a Cuban
cubrir cover, hide
cuenta *f.* account; **tomar en —** take into account, remember, bear in mind
cuento *m.* story
cuerpo *m.* body
cuestionario *m.* questionnaire
cuidado *m.* care; **tener —** be careful
cuidar take care of
culpa *f.* blame, fault
culto *m.* respect, veneration, homage
cultura *f.* culture
cumplimiento *m.* formality, ceremony
cumplir fulfil
curar treat, cure, heal
cursi bourgeois, ordinary, vulgar

Ch

charlar chat
chasco *m.* failure, disappointment; **llevarse (un) —** be disappointed, get left
chino, -a Chinese
chiquilla *f.* child, little girl
chiquillo *m.* small child
chochez *f.* dotage, second childhood

D

daño *m.* damage, hurt; **en — de** to the detriment of
dar give, matter, cause, take (*as of disease*); **— a** overlook, open upon; **— a entender** insinuate; **—se a entender** make oneself understood; **— crédito** believe; **— en** persist in; **— gracias** thank; **— una vuelta** take a walk; **— la mano** shake hands; **lo mismo da** it is all the same; **me da el corazón** I have a presentiment; **me da la gana** I want to; **— una noticia** announce
de of, from, by, with, because of
dé: *pres. subj. of* **dar**
deber owe, be obliged to, have to, must
deber *m.* duty, obligation
débil weak, feeble
débil *m.* weak person
decepción *f.* deception, disappointment

decidir(se) decide, make a decision
décima *f.* *ten-lined Spanish stanza form*
decir say, tell, speak; **es —** that is to say, that is; **se dice** they say, it is said; **dices bien** you are right; **¡qué no se diga!** the very idea!
declarar(se) make a proposal of marriage, propose
decoración *f.* decoration
decorado *m.* decoration
deducir deduce, infer
deduzca: *pres. subj. of* **deducir**
defender defend
definitivo, -a definitive
dejar leave, let, permit, allow, forsake, abandon; **— de** cease, stop; **—se de** leave alone
del: *contraction of* **de + el**
deleitoso, -a delightful
delicado, -a delicate, refined, exquisite
delicioso, -a delicious, delightful
delirantemente deliriously
delirio *m.* delirium, rapture, frenzy
delito *m.* crime
demasiado too, too much, excessively, very
demorar(se) delay, tarry
demostración *f.* demonstration
demostrar demonstrate, prove
dentro inside, within; **por —** inside, inwardly
depender (de) depend (on)
deplorar deplore, lament, regret
derecho *m.* right, privilege, law, equity; **Derecho** Right
derecho, -a right (hand); **a la derecha** on the right hand; **por la derecha** on the right (hand); **mano —a** right hand
derramar shed, pour out
desamparo *m.* want of protection, helplessness
desaparecer disappear
descanso *m.* rest, relaxation
descargar inflict, give (a blow)
descolorido, -a pale, colorless
desconfiar (de) distrust, doubt
describir describe, depict
descubrir discover, reveal
desde since, from, after; **— hace años** for years; **— hace tiempo** for some time; **— lo alto** from above; **— luego** of course; **— que** since, from the moment; **— nacidos** from birth
desear desire, wish
desencantar disillusion, undeceive
desencanto *m.* disillusion, undeception
desengañar undeceive; **desengáñate** don't fool yourself
deseo *m.* desire, wish; **tener —s** wish, desire
desgracia *f.* misfortune, affliction
desgraciadamente unfortunately
desgraciado, -a unfortunate
deshonra *f.* disgrace, dishonor
deslizar(se) slip, slip away, slip in
desmañado, -a clumsy, awkward
desorden *m.* disorder
despedir(se) (de) take leave (of), say good-bye (to)
despeinado, -a uncombed, unkempt
despiadado, -a unmerciful, pitiless
después after, afterward, next, then, later; **— de** after
destino *m.* destiny, fate
desvalido, -a helpless
desvanecer undo; **—se** vanish
detalle *m.* detail
detener(se) stop
devoción *f.* devotion
devolver return
di: *fam. imper. of* **decir**
dí: *pret. of* **dar**
día *m.* day; **hoy en —** the present, now-a-days; **buenos —s** good morning; **todos los —s** every day

Diablo *m.* Devil
diciembre *m.* December
dicha *f.* happiness, good luck
dicho, -a: *past part. of* **decir**; **los dichos** the same (*in stage directions*)
dichoso, -a happy, fortunate, lucky
diferencia *f.* difference
difícil difficult, hard
dificultad *f.* difficulty, objection
digno, -a worthy, deserving
dilema *m.* dilemma
Dios *m.* God; **¡Dios le pague el favor!** may God repay you for the kindness!
dirigir direct; **—se a** address, go to, go toward
discordia *f.* discord, disagreement
disculpar excuse
discurso *m.* lecture, discourse
discusión *f.* discussion
discutir discuss, ponder, hold back
disfrutar(se) (de) enjoy, take advantage of
disgustar displease
disimular dissimulate, let pass
disipar dissipate; **—se** be driven away
disminuir diminish; **—se** diminish, decrease
disminuye: *pres. ind. of* **disminuir**
disparate *m.* mistake, absurdity
dispensar excuse, pardon
disponer dispose, arrange, command; **— de** have the use of
dispuesto, -a disposed, ready
disputar fight for, dispute
distinguido, -a distinguished
disuadir dissuade
divertir amuse; **—se** amuse oneself
dividir divide
divino, -a divine
doblar bend
doble double
doblegar bend (one's head)
doctor *m.* doctor
doler pain, hurt
doliente painful, ill
dolor *m.* sorrow, grief, pain
doméstico, -a domestic
dominar dominate
domingo *m.* Sunday
don: *title given men, used only before given names*
doncella *f.* unmarried woman, girl
donde where; **a —** where, to which place; **por —** wherever
¿dónde? where?; **¿de —?** whence?; **¿a —?** where?, to what place?
doña: *title given ladies, used only before given names; need not be translated*
dormir sleep
drama *m.* drama, play
dramático, -a dramatic
dramaturgo *m.* dramatist
duda *f.* doubt; **salir de —s** become certain, be assured
dudar doubt; **— de** doubt, mistrust
dulce sweet, agreeable, pleasing
dulcemente sweetly, softly
durante during
dureza *f.* cruelty, hardness, obstinacy
duro, -a hard, cruel, harsh

E

e and (*used in place of* **y** *before words beginning with* **i** *or* **hi** *but not with* **hie**)
echar pour, put, cast, throw, dismiss; **— a broma** make a joke of
edad *f.* age; **en — de** of an age to, old enough
egoísmo *m.* selfishness
egoísta *m.* egoist, selfish person
egoísta *adj.* egoistic(al)
egoístamente selfishly
¿eh? eh?
¡ejem! ehem!
ejemplo *m.* example
ejército *m.* army

elección *f.* election, choice
elegante elegant, stylish
elegir choose
elevación *f.* elevation, exalted state of mind
elogio *m.* eulogy, praise
eludir elude, avoid
embargo *m.* hindrance; **sin —** however, nevertheless
embestir attack; **—se sobre** attack violently
emocionado, -a deeply moved
emocionarse become excited, show strong emotion
empalagosísimo, -a sickening sweet, wearisome, very boring
empalagoso, -a sickening sweet, boring, wearisome
empañar darken, obscure, cloud over
empeñar pledge, engage, pawn
empeño *m.* determination, great desire; **tener — en** wish very insistently
empequeñecer belittle
empezar begin
en in, into, on, at
enamorado, -a in love; **— de** in love with
enamorarse (de) fall in love (with)
encantado, -a charmed, pleased
encantador, -ora charming, delightful
encaramillo *m.* excitement, fuss
encargo *m.* charge, request, errand
encima on, above, on top (of me), over
encomienda *f.* knight commandery, badge
encontrar find, meet, run on to
enemigo *m.* enemy
enero *m.* January
enervamiento *m.* enervation
enfermedad *f.* sickness, illness
enfermo, -a ill, sick, sickly
engañar deceive; **—se** be mistaken
engendrar engender, produce
enjaular imprison, confine
enlace *m.* wedding
ensueño *m.* dream, aspiration
entender understand
enterar inform; **—se de** find out about
entonces then, next; **por aquel —** at that time
entrar (en) (por) enter; **—le a uno** enter one's head
entre among, between, within
entrechocarse collide, interfere
entremés *m.* short play, farce
entretener entertain, occupy, amuse
entretenido, -a amused, interested
entrevista *f.* interview, conference
entristecer sadden, grieve; **—se** become sad
entristezcas: *pres. subj. of* **entristecer**
entusiasmo *m.* enthusiasm
envidioso, -a envious
episodio *m.* episode
época *f.* epoch, age, time
equivaler be equivalent
equivocarse be mistaken, make a mistake
errar err, make a mistake
escala *f.* heights, stairs, ladder, scale
escaramillo *m.* quarrel, fuss, skirmish, hubbub
escena *f.* scene
escénico, -a scenic (*pertaining to the stage*)
esclavo *m.* slave
escoger choose
escogido, -a chosen (one)
esconder hide
escopetazo *m.* gunshot
escuchar listen
esfinge *m.* sphinx
eso that, that thing; **— es** that's it; **y — que** despite the

fact that; **por —** therefore, for that reason
especialidad *f.* specialty
especie *f.* piece of news
espejo *m.* mirror
esperanza *f.* hope
esperar hope, wait, wait for, await, expect
espina *f.* thorn
espíritu *m.* spirit
espiritual spiritual
espléndido, -a splendid
esposa *f.* wife
esposo *m.* husband
estallar break out
estar be; **— de más** be in the way
estimar esteem
esto this, this thing
estrechamente tightly, closely
estrechar press, squeeze; **— la mano** shake hands
estrella *f.* star
estremecer(se) shake, tremble
estrenar present for the first time (*of a play*)
estribar (en) rest (on)
estuche *m.* case, clever fellow; *also see note* 83:5
estudio *m.* study
estupendo, -a stupendous
etcetera et caetera
etéreo, -a ethereal
Europa *f.* Europe
exactamente exactly
exactitud *f.* exactness
exaltación *f.* exaltation, elevation, excitement
exceso *m.* excess
excusar excuse; **—se** make excuses, ask pardon
eximir exempt
existir exist, be
expectación *f.* expectation, expectancy
experiencia *f.* experience
explayar extend; **—se** be extended, overflow
explicar explain; **—se** understand
expresión *f.* expression
expuesto, -a exposed, liable, in danger
expulsar expel, drive out
extranjero *m.* foreigner
extrañar wonder (at), surprise; **—se** be surprised
extraño *m.* foreigner, outsider
extraordinario, -a extraordinary; **nada de extraordinario** nothing unusual
extravagancia *f.* folly, crazy idea
extremar carry to an extreme; **—se** be carried to an extreme, overdo

F

fábrica *f.* factory; **marca de —** trade mark
falso, -a false
falta *f.* lack; **hacer —** be missed, lack
faltar be wanting, need, be necessary, be missing; **¡no faltaba otra cosa!** the idea! that is the limit!; **nos falta** we need, we lack
fallar fail
favor *m.* favor, help, service; **pagar un —** repay *or* return a service
favorablemente favorably
felicidad *f.* happiness
felicitar congratulate
feliz happy; **felices (días)** good morning
feo, -a ugly, homely
festejar celebrate, entertain
ficha *f.* chip, counter, man
fiel faithful, loyal, devoted
fiera *f.* wild beast
fiereza *f.* ferocity; **con —** persistently, insistently
fiesta *f.* party, celebration
figura *f.* looks, mien, face
figurar be conspicuous; **—se** fancy, imagine
Filadelfia *f.* Philadelphia

filibustero *m.* filibusterer
fin *m.* end, conclusion; **al —** at last; **por —** at last
finca *f.* farm, ranch
fiñe *m.* jackanapes, four-flusher
fisionomía *f.* appearance, features
fisonomía *f.*: *see* **fisionomía**
flirteo *m.* flirtation
flor *f.* flower; **a — de** on a level with, at the same time
florido, -a flowery, blooming
flotar float
folletín *m.* serial story (*generally very melodramatic*)
fondo *m.* bottom, depth; **en el —** at bottom, in substance
forma *f.* form, manner
formal serious, formal
formar(se) form
foro *m.* back (*in stage directions*); **por el —** through the back
fortaleza *f.* strength, health, courage
fortificar strengthen
fortuna *f.* fortune
forzado, -a forced, compelled, strong
fracasar fail, come to naught
francés, -esa French
Francia *f.* France
franco, -a frank
frase *f.* sentence, phrase
frecuente frequent
frente *adv.* in front, opposite; **— a** in front of, opposite
frente *m.* front (*military*); **—** *f.* forehead
fresquito, -a cool
frío, -a cold
frío *m.* cold
frivolidad *f.* frivolity, frivolousness
fruto *m.* result, product, outcome
fuente *f.* fountain; **—s** source (*of a river or story*)
fuera outside; **por —** outwardly
fueren: *fut. subj. of* **ser**
fuerte strong, hard
fuerte *adv.* severely, strongly
fuerza *f.* strength, violence, force; **con —** strongly
fugarse run away
fúnebre sad, funeral
futuro, -a future; **en lo futuro** in the future, hereafter
futuro *m.* future, future tense

G

galantería *f.* gallantry, politeness
gallego, -a Gallician
gallo *m.* rooster
gana *f.* desire; **me da la —** I want, I wish
garrote *m.* garrote (*instrument used in capital punishment*)
garza *f.* heron
generosidad *f.* generosity
generoso, -a generous
gente *f.* people; **— de bien** honest people
germanófilo, -a, pro-German
gloria *f.* glory
glosa *f.* comment
goce *m.* enjoyment
gocémonos: *pres. subj. of* **gozarse**
gotita *f.* small drop, just a little
gozar enjoy, have a good time; **—se** rejoice
gracias *f. pl.* thanks, thank you; **dar —** thank, give thanks
gráfico, -a graphic
gran(de) great, large, important
granito *m.* granite
gratitud *f.* gratitude, gratefulness
grato, -a pleasant
grave serious, important
gremio *m.* body, society, company
gris gray
gritar shout
grito *m.* shout, cry
guardar keep
guardia *f.* guard; **estar en —** be on guard
guasón *m.* joker, witty person
guasón, -ona witty, joking
guerra *f.* war; **en —** at war
guiar guide, lead

guisa *f.* manner; **a — de** as a, in the manner of
gustar be pleasing; **le gusta** he likes, she likes, you like; **me gusta** (algo) I like (something)
gusto *m.* taste, pleasure; **tener — en** take pleasure in, be glad to; **tener el —** have the pleasure
gustoso, -a willing, ready

H

Habana *f.* Havana
haber *auxiliary verb* have, be; **— de** be to, have to, must; **hay** there is, there are; **hay que** it is necessary, one must
hablar talk, speak
hacer make, do, cause; **— caso** mind, pay attention; **— falta** be necessary, be missed, be lacking; **— mal** harm, wrong; **— una pregunta** ask a question; **hace tanto tiempo** for some time; **hace dos años** two years ago
hacia toward
hambre *f.* hunger, desire, anxiety
haragán, -ana lazy
hasta until, even, also; **— después** good-bye, see you later; **— luego** good-bye, see you soon; **— que** until
hay there is, there are; *see* **haber**
haz *m.* bundle, bunch, group
hecho, -a, *adj. and past part. of* **hacer; hecho un héroe** as a hero
herejía *f.* heresy, injurious expression, falsehood
herido, -a hurt, wounded
herir wound, hurt, offend
hermana *f.* sister
hermanito *m.* little brother
hermano *m.* brother
hermoso, -a beautiful
héroe *m.* hero
heroicamente heroically
heroísmo *m.* heroism
hija *f.* daughter, girl
hijo *m.* son, boy
himno *m.* hymn, song, ballad
historia *f.* story, history
hogar *m.* home, hearth
hoja *f.* leaf; **tomar el rábano por las —s** be off the track, be mistaken
¡hola! hello!
hombre *m.* man; **¡—!** man alive!
hombro *m.* shoulder
hondo, -a deep; **a lo hondo** deeply
honra *f.* honor
hora *f.* hour, time, season; **a la — de hoy** at this time, at this very moment
hoy today; **— en día** nowadays; **el día de —** the present day; **— por —** for the present
huelo: *pres. ind. of* **oler**
huerto *m.* orchard, garden
hueso *m.* bone; **carne y —** in the flesh
humanidad *f.* humanity; **de —** humanitarian
humano, -a human
humedad *f.* dampness, humidity
humilde humble
humo *m.* smoke; **—s** airs, conceit
humor *m.* humor
hurtadillas: a — by stealth, on the sly

I

idea *f.* idea
ideal *m.* ideal
idealismo *m.* idealism
idiota idiotic, speechless, dumb
idiota *m.* idiot
ignorar be ignorant of, not know
igual uniform, similar, alike; **— que** the same as
ilusión *f.* illusion, dream
ilusionar fascinate, idealize
imagen *f.* image
imaginar imagine, think, suspect; **—se** imagine
imperativo *m.* imperative
imperfecto *m.* imperfect
imponer impose

importar be important, concern, matter; **no importa** no matter, never mind; **¿qué importa?** what does it matter?, what difference does it make?
imposible impossible
imposible *m.* impossibility
imposición *f.* imposition, burden
impusiese: *imper. subj. of* **imponer**
in [*Latin*] in
inacción *f.* inaction, inactivity
inclinar bow, incline, influence; **—se** be disposed, bow
inconveniencia *f.* disadvantage
inconveniente troublesome
independencia *f.* independence
indicativo *m.* indicative
indiferencia *f.* indifference
indudablemente certainly
infame *m.* villain
infame infamous
infeliz unfortunate, unhappy
infinitamente infinitely
infinito, -a infinite
infinito, *adv.* infinitely
ingrato, -a ungrateful, unappreciative
injusto, -a unjust
inmensamente immensely, infinitely
inmenso, -a immense, infinite
inmóvil motionless
inquietar trouble, excite, upset, worry
insinuante insinuative, insinuating, ingratiating
insinuar insinuate; **—se** ingratiate oneself
insolente insolent
inspirado, -a inspired; **— en** inspired by
inspirar inspire
instante *m.* instant, moment
instituto *m.* institute
intención *f.* intention; **con —** pointedly, sarcastically
intentar attempt, try
interés *m.* interest, selfishness
interesar interest; **—se** become interested, be interested; **—se por** be interested in
intermedio, -a intermediate
interrumpir interrupt
íntimo, -a innermost, intimate
introducción *f.* introduction
inundar flood, inundate
invernadero *m.* hot-house, greenhouse
investigar investigate
ir go; **—se** go away; **¡vamos!** come now!
italiano, -a Italian
izquierda *f.* left; **a la —** on the left, to the left; **por la —** on the left
izquierdo, -a left; **(mano) izquierda** left hand

J

¡ja! ¡ja! ha! ha! (*imitation of laughter*)
jardín *m.* garden for flowers and shrubs
jarra *f.* pitcher, vase
jazmín *m.* jessamine, jasmine
Jesús *m.* Jesus; **¡—!** heavens! (*frequent and mild oath*)
jornada *f.* day, trip, act (*of a play*)
joven young
joven *m. & f.* youth, young man, young lady, young person
joya *f.* jewel
Juana *f.* Jane
Juanito *m.* Johnny
júbilo *m.* joy
juego *m.* game, sport, teasing
jugar play, move (*a part of the body*)
juguete *m.* short play
junto united, together; **— a** with, next to, near by
jurar swear
justicia *f.* justice; **en —** justly, deservedly
justo, -a just, correct; **lo justo** what is just
juzgar judge

K

Káiser *m.* kaiser

L

labio *m.* lip
laborar work, labor
lado *m.* side; **al — de** by, near, with; **a un —** aside
lágrima *f.* tear
lamentar lament, mourn
lámpara *f.* lamp, light
lanzar utter, throw; **—se** engage in, rush forth
largo, -a long
lástima *f.* pity
laurear reward, give a prize
lauro *m.* laurel, honor
lazarillo *m.* guide (*for a blind person*)
Leandro *m.* Leander
leer read
lejano, -a distant, far
lejos far; **a lo —** in the distance, far away
lengua *f.* tongue
lentamente slowly
letra *f.* letter (*of the alphabet*), literature
levantar raise, lift; **—se** rise, get up; **— la cabeza** take courage, take heart
leve light, easy
ley *f.* law
leyendo: *pres. part. of* **leer**
libertad *f.* liberty
libertador *m.* liberator
libre free
libro *m.* book; **— de misa** prayer book
liceo *m.* secondary school, lyceum
ligero, -a light, gay
limosna *f.* alms
limpio, -a clean; **en limpio** in substance, clearly; **sacar en limpio** conclude, gather
lindamente neatly, cleverly
lindo, -a pretty, perfect
linfa *f.* water (*poetical*)
lírico, -a lyric, lyrical
lisonja *f.* flattery
literario, -a literary
literatura *f.* literature
loco, -a crazy, wild
losa *f.* flagstone, tombstone, paving stone
lucha *f.* struggle, strife
luchar fight, struggle
luego later, next, then, afterward; **desde —** naturally; **hasta —** good-bye, until later
lugar *m.* place
lumbre *f.* light
luminoso, -a light-giving, luminous, beautiful
luna *f.* moon
luz *f.* light

Ll

llamar call, knock; **—se** be named, be called; **¿cómo se llama ella?** what is her name?
llegada *f.* arrival
llegar arrive, penetrate, reach
llenar fill
lleno, -a full, filled
llevar carry, bear, lead; **—se** be carried away; **—se chasco** be disappointed; **— del brazo** walk arm in arm with; **— muy lejos** make too much of
llorar weep

M

madona *f.* Madonna, the Virgin Mary
madre *f.* mother
madrigal *m.* madrigal (*generally a romantic love poem*)
maestro *m.* master, leader
magnitud *f.* magnitude, quantity
magno, -a great
mago, -a magic, mystic
majadero *m.* bore, tiresome fellow, ill-bred person
mal badly; **menos —** fortunately
mal: *apocopated form of* **malo**

mal *m.* evil, harm
malcriado, -a ill-bred, spoiled
maldad *f.* wickedness
malicia *f.* malice, shrewdness
malo, -a bad, sick
malvado *m.* wicked man, villain
mamá *f.* mamma
mambiso, -a Cuban (*regional*)
mancha *f.* spot, blemish
manejar manage, handle
manera *f.* manner, way, kind
mano *f.* hand; **dar la —** shake hands
manotazo *m.* cuff, slap (*with the hand*); **a —** by slapping
mantilla *f.* mantilla, head shawl; **de —** dressed in *or* wearing a shawl
mañana *f.* morning; **todas las —s** every morning; **de —** early in the morning; *as adv.* tomorrow
mañana *m.* future
maquiavélico, -a Machiavelian
maquiavelismo *m.* Machiavelism
marca *f.* mark, stamp; **— de fábrica** trade mark
marcha *f.* march; **en —** let's go
marchar go, march; **—se** go away, leave
Margarita *f.* Marguerite, Margaret
margen *m.* margen
Margot, Teatro: *one of Havana's many play houses*
María *f.* Mary
marido *m.* husband
mariposa *f.* butterfly
mártir *m.* martyr
mas but
más more, most; **— bien ... que** rather ... than; **estar de —** be unnecessary
máscara *f.* mask
matar kill
material *m.* material
matinal morning, early
matrimonio *m.* marriage, matrimony
máxime principally, especially
mayo *m.* May
mayor older, oldest, greatest
médico *m.* physician, doctor
medio, -a half, partial; **a medias** by halves
mejilla *f.* cheek
mejor better, best
melancolía *f.* melancholy, gloom
melancólico, -a sad
mendigo *m.* beggar
menor minor, smallest
menos less, least; **— que** less than; **por lo —** at least; **— que nunca** less than ever; **lo de —** something of little importance
mensajero *m.* messenger
mentir lie, be misleading
menudo *m.* small change; **a —** often
mequetrefe *m.* jackanapes, coxcomb
merecer deserve, be worth
merecimiento *m.* merit
mérito *m.* merit; **hacer —** keep on the good side of
mero, -a mere, only
mesa *f.* table; **— petitoria** petitionary table
meter place, put; **—se a** begin, set about
miedo *m.* fear; **tener —** be afraid
miel *f.* honey, sweetness, ease
mientras while; **— que** while
mil *m.* (a) thousand, (one) thousand
mirada *f.* gaze, look, glance
mirar look, look at, consider; **mire que** look here
mirra *f.* myrrh
misa *f.* mass
mismo, -a same, self, very; **lo mismo** the same thing; **lo mismo da** it is all the same; **lo mismo que** the same as
mobiliario *m.* furniture
modismo *m.* idiomatic expression
modista *f.* dressmaker
modo *m.* way; **de — que** so

that; **de otro —** otherwise; **de tal —** so that
molestar molest, annoy
momento *m.* moment; **por —** continually, at times
moneda *f.* coin
monólogo *m.* monologue
moraleja *f.* moral, point
morir die; **—se** die a natural death, be at the point of death
mosca *f.* fly
mostrar show; **—se** show oneself
motivo *m.* motive, reason
mover(se) move, urge
movimiento *m.* movement, stir
moza *f.* girl; **buena —** good-looking girl
muchacha *f.* girl
muchacho *m.* boy
muchísimo, -a very much; *pl.* very many
mucho, -a much, a great deal (of); *pl.* many
mucho *adv.* much, a lot, a great deal
mudar change; **—se** move
muelle *m.* wharf, pier
muerte *f.* death
muerto, -a: *past part. of* **morir; muertos de miedo** frightened to death
mujer *f.* woman, wife
mundo *m.* world, earth; **todo el —** everybody
muñeco *m.* doll
música *f.* music, musical composition
muy very, very much; **muy ... para** too ... to

N

nacer be born
nación *f.* nation
nacional national
nada nothing, anything, no more discussion; **— más que** only; **por —** you are welcome, don't mention it
nadie nobody; *after negative* anybody
naranjo *m.* orange tree
naturaleza *f.* nature
naturalmente naturally, of course
necesario, -a necessary
necesidad *f.* necessity
necesitado, -a poor, needy
necesitar need
negar deny; **—se (a)** refuse
nervioso, -a nervous
ni neither, nor, not even; **— siquiera** not even
niebla *f.* fog, mist, haze
ninguno, -a no, none, not any
niña *f.* girl; **muy —** very young
niño *m.* boy
no no, not
noche *f.* night
nombre *m.* name
notar notice
noticia *f.* news; **dar —s** announce; **dar la —** announce
novela *f.* novel
novelero *m.* adventurer, newsmonger; novel reader
novia *f.* fiancée
noviazgo *m.* engagement
novio *m.* fiancé
nube *f.* cloud
nuevo, -a new
nunca never; *after negative* ever

O

o or, either
¡o! oh!, O!
oblación *f.* toast, salutation
obligar compel, oblige
obra *f.* work
obscuro, -a dark; *also written* **oscuro, -a**
obsesión *f.* obsession
obstáculo *m.* obstacle
ocasión *f.* occasion, chance
ocio *m.* laziness, idleness
ocultar hide; **—se** be hidden
ocupar occupy, take place; **—se de** pay attention to
ocurrir happen, take place, pass;

ocurrírsele a uno to strike one (*as an idea*)
ofender offend, make angry; **—se** become angry, take offence
oficial official
¡oh! o!, oh!
oído *m.* hearing, (inner) ear
oír hear; **— decir** hear said
¡ojalá! would to God!, would that!
ojo *m.* eye
oler smell; **— a** smell of, smell
olvidar(se) forget
olvido *m.* forgetfulness, oblivion
opinión *f.* opinion
oportunidad *f.* opportunity
oportuno, -a seasonable, opportune
optar (por) choose
oración *f.* prayer, sentence
orden *f.* order
ordenar order
oriente *m.* east, orient
oro *m* gold, money; **de —** wonderful, golden
orquesta *f.* orchestra; **a gran —** with full orchestra
oscuro, -a obscure, dark; **a oscuras** in the dark; *also written* **obscuro, -a**
otoño *m.* autumn, fall
otro, -a another, other; **otra vez** again

P

paciencia *f.* patience
padecimiento *m* suffering
padre *m.* father; **—s** parents; **de —** fatherly
pagar pay
página *f.* page
país *m.* country
pájaro *m.* bird
palabra *f.* word
palidez *f.* paleness
pálido, -a pale, ghastly
paloma *f.* dove, pigeon
palpitación *f.* palpitation, throbbing
pan *m.* bread
papá *m.* papa, father
par *m.* couple, pair, two
para for, to, in order to, toward; **— que** in order that; **¿— qué?** for what reason?; **— siempre** forever
paralizar paralyze
parar(se) stop, stand
parecer appear, seem, look like, resemble
pared *f.* wall; **entre cuatro —es** hidden, enclosed
parezca: *pres. subj. of* **parecer**
partícula *f.* particle, point, flash
partido *m.* party (*political*); **de —** political
pasajero, -a passing, fleeting
pasar pass, happen, endure, spend (*time*); **—se** go through
pasear take a walk
paseo *m.* walk
pasión *f.* passion, emotion
paso *m.* step, sketch, short play; **de —** as, while
patria *f.* native country, fatherland
pausa *f.* pause
paz *f.* peace
pecado *m.* sin
pécora *f.* shrewd woman, designing woman
pedazo *m.* piece, fragment
pedir ask (for), beg, order
pegar stick, unite; **las sábanas se me pegaron** I couldn't get up, I slept late
pelear fight, quarrel
peligro *m.* danger
pelo *m.* hair
pena *f.* sorrow, concern, embarrassment; **merecer la —** be worth while; **valer la —** be worth while; **con —** sadly
penetrar penetrate, enter
penitencia *f.* penitence, penance, punishment
pensamiento *m.* thought
pensar think, intend; **— en** think about

peor worse, worst
pequeño, -a small
per [*Latin*] through
perder lose
perdonar pardon
peregrino, -a beautiful, handsome, perfect
perfectamente perfectly, fine
perfecto *m.* perfect (*tense*)
perfecto, -a perfect
permanecer remain
permiso *m.* permission; **con su —** please allow me
permitir permit, allow
pero but
persona *f.* person; **— de bien** honest person
personaje *m.* character
pertenecer belong (to)
pesadumbre *f.* sorrow, pain
pesar cause regret, weigh, have weight
pesar *m.* grief; **a — de** in spite of; **a mi —** against my wishes
pescar catch, obtain, find out; *literally* fish
petitorio, -a petitory, petitionary; **mesa —a,** petitionary table
petrificar petrify
piadoso, -a pious
picar prick; **—se** be offended, be vexed
picarón *m.* great rogue
pie *m.* foot; **en —** standing; **ponerse en —** stand (up)
piedad *f.* pity; **¡por —!** for pity's sake!
piel *f.* skin (*of a person*)
pinchazo *m.* stab, insult
piñata *f.* Christmas bag; (*a bag filled with nuts, candies, etc. and suspended from the ceiling of the living room. The bag is broken and the guests rush to take possession of the treat.*)
piropear pay compliments, make love to
piropo *m.* compliment, flattery
pisar step (on)
pisotear trample, tread under foot
plan *m.* plan, scheme
planeta *m.* planet
plenitud *f.* plenitude, fulness
pobre poor
pobre *m. & f.* poor man, poor woman, poor person
pobreza *f.* poverty
poco, -a little, small
poco *adv.* little bit, hardly; **— a —** little by little; **a —** immediately, shortly after; **por —** almost, nearly
poco *m.* (a) little; *pl.* few, some
poder be able, can, may
poderoso, -a powerful, important
poema *m.* poem
poesía *f.* poetry
poeta *m.* poet
poético, -a poetic, poetical
poetizar poetize
pollo *m.* young man (*slang*); *literally* young rooster
poner put, place, make, become; **— en claro** make plain; **—se en pie** stand (up); **—se en ridículo** make oneself ridiculous; **—se a** begin; **—se (colorado)** become (red)
poquito *m.* a wee bit
por by, for, through, because, in, on, on account of, in order to; **— eso** therefore; **— si (acaso)** if by chance; **¿— qué?** why?
porque because
porrillo: a — in large numbers, aplenty, galore
portavoz *m.* mouthpiece, spokesman
porvenir *m.* future
posar light; **—se** alight
posesión *f.* possession
posible possible
posición *f.* position, status
positivista positivist, materialist(ic)

postrar prostrate, humble; **—se** prostrate oneself
potestad *f.* power
práctico, -a practical
preceder precede
precisamente precisely
preeminencia *f.* preeminence
prefacio *m.* preface
preferencia *f.* preference; **hacer —s** show preference
pregunta *f.* question; **hacer —s** question
preguntar ask, question
preguntita *f.* little question
premiar reward, give prize (to)
prensa *f.* press, newspapers
preocupación *f.* preoccupation, worry
preocupar(se) preoccupy, worry
preparar prepare
presencia *f.* presence
presentar present; **—se** appear, present oneself
presente *m.* present
presente present
pretendiente *m.* suitor
pretérito *m.* preterit
pretexto *m.* pretext, excuse
previsor, -a far-sighted, provident
primavera *f.* spring
primero, -a first
primero *adv.* first
princesse [*French*] *f.* princess
príncipe *m.* prince
proceder proceed, act
profesar profess, claim
profesor *m.* professor
promesa *f.* promise
prometer promise
pronto soon; **de —** suddenly
propaganda *f.* propaganda
propio, -a own, proper
proyecto *m.* project, plan
prueba *f.* proof
puerta *f.* door, opening, heart, understanding
pues then, well
puesto, -a, *adj. and past part. of* **poner**
puesto since, as; **— que** since
pugnar fight, struggle
pulso *m.* pulse
puridad *f.* purity; **en —** clearly, in truth
puro, -a pure, wholesome

Q

que who, which, than, that, for, why, because; **es —** the fact is that; **el —, la —, lo —, los —, las —** he who, she who, that which, those who, those that
¿qué? what?, which?, how?; **¿por —?** why?
¡qué! how!
quedar(se) remain, stay, be, become
quemar burn
quepa: *pres. subj. of* **caber**
querer want, wish, try, love; **—se** love each other, love one another
querer *m.* love, affection
querido, -a dear, beloved
quien who, whom, the one who, anyone who, someone who
¿quién? who?; **¿a —?** whom?, to whom?; **¿de —?** whose
quintaesenciado, -a quintessential, perfect
quitar take away, remove
quizá perhaps, maybe

R

rábano *m.* radish; **tomar el — por las hojas** be entirely mistaken, get left
rabieta *f.* fit of temper (*colloquial*)
raíz *m.* root; **a — de** immediately after
rango *m.* rank
raro, -a rare, queer, odd
rato *m.* short time, while, little while
raya *f.* blank, line, mark
razón *f.* reason, reasonableness; **con —** rightly; **tener —** be right

razonable reasonable; **lo —** what is reasonable
reafirmarse reaffirm oneself
real royal
realidad *f.* reality, truth; **en —** truly, really
realización *f.* realization, fulfilment
realizar realize, fulfil
rebajar lessen, reduce, change one's mind; **— los humos** come down to earth
rebelión *f.* rebellion
recibimiento *m.* reception, reception-room
recibir receive
recluta *m.* recruit
recogimiento *m.* abstraction
recomendación *f.* recommendation, suggestion
recompensa *f.* compensation, recompense
reconfortar comfort, strengthen, cheer
recordar remember, remind
recorrer go over, run over
recuerdo *m.* memory, recollection; *pl.* compliments, regards
recurso *m.* recourse
referir refer; **—se** refer (to)
refrán *m.* proverb, saying
regocijado, -a joyful
regresar return
regreso *m.* return
regular regular; **por lo —** generally
reír laugh; **—se de** laugh at, make fun of
reja *f.* grated window
relucir shine, excel; **sacar a —** publish, show off
remanso *m.* pool, backwater
reparto *m.* assignment of roles (*in a play*)
repente *m.* sudden movement; **de —** suddenly
repique *m.* ringing of bells, talking
reprimir repress, suppress
reproche *m.* reproach
requerimiento *m.* demand
resistencia *f.* resistance, endurance
resolución *f.* resolution, solution
resolver solve
responder answer, respond
respuesta *f.* answer, response
resuelto, -a determined
resultar result, turn out, happen
resumen *m.* summary; **en —** in brief, in short
retractar(se) retract, recant
retrato *m.* picture
retroceder go back, retrace one's steps
reunión *f.* meeting, gathering
revelar reveal
rey *m.* king; **Reyes Magos** Wise Men
ridículo, -a ridiculous; **ponerse en ridículo** make oneself ridiculous
rima *f.* rhyme
rincón *m.* corner
risa *f.* laughter
Rodolfo *m.* Rudolph
rojo, -a red
romanticismo *m.* romanticism
romántico, -a romantic
romper break, break out; **— a** begin
ron *m.* rum
ropa *f.* clothes
rosa *f.* rose; **de —s** burdened with roses
rosal *m.* rose bush
rostro *m.* face
ruido *m.* noise; **sentir —** hear (a) noise
ruin mean, puny, vile
rumba *f.* rumba

S

sábana *f.* sheet; **pegársele a uno las —** rise late, not be able to get out of bed
saber know, know how (to), be able, learn, find out; **— bien**

be fully aware; **vaya usted a —** your guess is as good as mine; **¡quién sabe!** who knows!
sabio, -a wise
sacar take out, draw out; **— a luz** bring out; **— a relucir** publish, show off; **— en limpio** conclude
sacrificar sacrifice; **—se** give oneself up
sacrificio *m.* sacrifice
sacrifique: *pres. subj. of* **sacrificar**
sacudir shake, stir, dust off
sala *f.* living room, parlor
salir go out, come out; **— de** dispose of, get rid of
salmo *m.* psalm
salón *m.* living room, drawing room
saludar greet
saludo *m.* greeting
salvar save
salvoconducto *m.* safe-conduct
san: *apocopated form of* **santo**
sangre *f.* blood
santa *f.* saint
santo, -a saintly, sacred
santo *m.* saint
satisfecho, -a satisfied
savia *f.* sap (*botanical*)
se one, they, people
secreto, -a secret
secreto *m.* secret
sed *f.* thirst; **tener —** be thirsty
seguida *f.* continuation; **en —** forthwith, immediately
seguir follow, continue
según according to, as
seguridad *f.* security; **tener la —** be sure
seguro, -a sure, certain
selecto, -a select, selected, choice
sembrar sow, plant
semejante *m.* fellow creature
sencillo, -a simple
sendero *m.* path, road
sensible sensitive, easily moved
sentar seat; **—se** sit down, be seated
sentimiento *m.* sentiment, feeling
sentir feel, perceive, regret, hear; **—se** feel
señalar designate, point out, indicate
señor *m.* sir, mister; **Señor** Lord; **—es** ladies and gentlemen
señora *f.* lady, mistress, Mrs., madam
señorita *f.* miss, young lady
señorito *m.* young gentleman, master, young mister
sepultar bury
ser be, exist
ser *m.* being, human being, life
serenidad *f.* serenity, calm
serie *f* series
seriedad *f.* earnestness, seriousness
serio, -a serious; **en serio** seriously
servir serve; **— de** be good for, act as
si if, why
sí yes, indeed; **— que** indeed
siempre always; **de —** forever, always; **para —** forever
siglo *m.* century, times
significar(se) become known, appear important
siguiente following
sílaba *f.* syllable
silencio *m.* silence
silla *f.* chair
sillón *m.* arm chair
simpatía *f.* sympathy, understanding
sin without; **— que** without
sincero, -a sincere
sino but; **— que** but (that); **no... —** only
sirviente *m.* servant
sobrar be more than is necessary
sobre on, over, above; **— todo** above all, especially
sobresaltar frighten, startle
sociedad *f.* society
sofá *m.* sofa

sol *m.* sun; **hacer —** be sunny
soldado *m.* soldier
solo, -a alone, only
sólo only
solterona *f.* old maid
solución *f.* solution
sombra *f.* shadow, darkness, shade
son *m.* sound; **— de elogio** praise
sonar sound, ring, play
sondear probe, sound (*another's thoughts*)
soneto *m.* sonnet
sonoro, -a musical, sonorous
sonreír smile
sonrisa *f.* smile
soñador *m.* dreamer
soñar dream; **— con** dream of, dream about
sorna *f.* slowness; **con —** cunningly, mockingly
sorprender surprise
sorpresa *f.* surprise
sospecha *f.* suspicion
sospechar suspect
suave soft, gentle
subjuntivo *m.* subjunctive
substituir substitute
suceder happen; **¿qué te sucede?** what is the matter with you?
sueldo *m.* salary; **— oficial** pension
suelo *m.* ground, floor, earth
sueño *m.* dream, sleep, sleepiness
suerte *f.* luck
sufrir suffer
super-hombre *m.* superman
súplica *f.* request
suponer suppose, assume, imagine
supremo, -a supreme
susto *m.* scare, fright
sutileza *f.* subtlety, cunning

T

tableau [*French*] *m.* picture, scene
tablero *m.* board; **— de ajedrez** chess-board
tactear feel, grope
táctica *f.* policy, tact, tactics, strategy
tajada *f.* slice, food, benefits
tal such; **— cual** a few, one from time to time; **de — modo que** so that; **¿qué —?** how (are you)?; **— vez** perhaps, maybe
también also, too
tampoco neither, not either, nor
tan as, so
tanto, -a as much, so much; *pl.* as many, so many; **otro tanto** as much, a like amount; **tantas veces** so often
tanto so much
tarde late; **hacerse —** grow late
tarde *f.* afternoon
teatral theatrical, stage
teatro *m.* theatre, stage
telón *m.* curtain (*theatrical*)
tema *f.* theme, contention; **—** *m.* subject
temblar tremble
temer fear, dread
temeroso, -a timid, timorous, afraid, cowardly
temor *m.* fear
templar temper, pacify
temprano early
tendencia *f.* tendency
tender stretch out, spread out
tener have, possess; **— empeño en** be determined; **— necesidad de** need; **— que** have to; **— razón** be right; **— la seguridad** be certain (of); **aquí la tienes** here she is; **aquí me tienen ustedes** here I am; **tienes el cabello oscuro** your hair is dark; **¿qué tienes?** what is the matter with you?; **— lugar** take place
terminar end, finish
ternura *f.* tenderness
texto *m.* text
tiempo *m.* time, weather; **antes de —** too soon
tierno, -a tender, affectionate, amiable

tierra *f.* earth, country, land
tildar criticize, brand
timidez *f.* timidity
titubeo *m.* hesitation, indecision, stammering
título *m.* diploma; **— académico** university degree
tocar play (*a musical instrument*)
todavía still, yet, even
todo, -a all, the whole, each, every; **de todo** a little of every kind; **todo lo que** as long as
tolerancia *f.* tolerance
tomar take; **—se** be taken
tonada *f.* tune, song, timber of voice
tono *m.* tone, tune, key
toser cough
trabajar work
trabajo *m.* work, trouble, hardship; **tomarse el —** take the trouble
traer bring, lead
tragedia *f.* tragedy
trágico, -a tragic
traje *m.* suit of clothes, dress
tranquilizarse calm (down)
trapisonda *f.* snare, trick, wile
tras after, behind
traspasar pass over, transfer
tratar (de) try (to); **—se de** be a question of
trinchera *f.* trench
tríptico *m.* triplicate
triste sad, miserable
tristeza *f.* sadness
triunfar triumph, win
triunfo *m.* triumph

U

último, -a last
umbral *m.* threshold
un(o), -a a, an; *pl.* some, a few
único, -a only; **el único** the only one; **lo unico** the only thing
uniforme *m.* uniform
unión *f.* union
unir join, unite
universidad *f.* university
urgentísimo, -a most urgent, most pressing
usar use
¡uy! dear me!

V

vacilación *f.* vacillation, hesitation
vacilante hesitating, unstable
vacilar vacillate, hesitate
vago, -a vague, hazy
vaho *m.* vapor
valer be worth, possess value; **más vale** it is better; **valer la pena** be worth while
valor *m.* courage, valor
vano, -a vain; **en vano** in vain
variar vary, change; **— de conversación** change the subject
vaso *m.* glass, vase
veces *f. pl. of* **vez**; **a —** sometimes, at times; **muchas —** many times
vegetar vegetate
vehemencia *f.* vehemence, force
vejestorio *m.* shrivelled old person
velar watch (over); **— por** watch over, look after
venir come, result
ventura *f.* happiness
ver see; **a —** let's see; **—se** find oneself
veras *f. pl.* reality; **de —** really, in earnest
verbo *m.* verb
verdad *f.* truth; **a la —** in truth; **¿—?** is that so?; **¿no es —?** isn't that so?
verdaderamente truly, really
verdadero, -a true; **lo verdadero** that which is true
verso *m.* verse
verter publish, divulge
vestido *m.* dress
veterano *m.* veteran
vez *f.* time; **a veces** sometimes; **cada —** each time, every time; **de una —** at once; **en — de**

instead of; **otra —** again, once more; **tal —** perhaps, maybe; **una —** once
viajero, -a traveling, migratory, flitting
viajero *m.* traveler
vicio *m.* vice
víctima *f.* victim
vida *f.* life
vieja *f.* old woman
viejo, -a old
viejo *m.* old man
violentamente violently, forcibly
violeta *f.* violet
violín *m.* violin
visita *f.* visit, visitor
visitante *m.* visitor
vista *f.* sight; **doble —** second sight
visto, -a: *past part. of* **ver**
vivamente quickly
vivir live
vivo, -a living, alive
vocación *f.* call, aptitude
voces *pl. of* **voz**
volar fly, hurry
voluntad *f.* will
volver return; **— a (ver)** (see) again; **—se** turn, become
votivo, -a votive
voz *f.* voice, shout
vuelo *m.* flight
vuelta *f.* turn, return; **dar una —** take a walk
vuelto, -a: *past part. of* **volver**
vulgar common

Y

y and
ya already, now, in due time, surely; **— no** no longer; **— que** since; **¡— lo creo!** I should say so!, naturally, of course
yantar dine, eat
yerra: *pres. ind. of* **errar**

Z

zahorí *m.* second sighted person, vulgar imposter pretending to see hidden things
zarzuela *f.* musical comedy